Agatha Christie

MORTE POR AFOGAMENTO
& OUTRAS HISTÓRIAS

Tradução de Petrucia Finkler

www.lpm.com.br

COLEÇÃO 96 PÁGINAS

Coleção **L&PM** POCKET, vol. 1245

Texto de acordo com a nova ortografia.
Estes contos foram extraídos do livro *Os treze problemas*
Título original dos contos: *A Christmas Tragedy; The Affair at the Bungalow; Death by Drowning*
Esta edição na Coleção **L&PM** POCKET: julho de 2017

Tradução: Petrucia Finkler
Montagem da capa: Carla Born
Revisão: L&PM Editores

CIP-Brasil. Catalogação na Fonte
Sindicato Nacional dos Editores de Livros, RJ

C479m

Christie, Agatha, 1890-1976
　Morte por afogamento e outras histórias / Agatha Christie ; tradução Petrucia Finkler. – Porto Alegre, RS: L&PM, 2017.
　96 p. ; 18 cm.

Tradução de: *A Christmas Tragedy; The Affair at the Bungalow; Death by Drowning*
ISBN 978-85-254-3415-9

1. Ficção inglesa. I. Finkler, Petrucia. II. Título.

16-32639　　　　　　　　　　CDD: 823
　　　　　　　　　　　　　　CDU: 821.111-3

The Thirteen Problems Copyright © 1932 Agatha Christie Limited.
All rights reserved.
AGATHA CHRISTIE, MISS MARPLE and the Agatha Christie Signature are registered trade marks of Agatha Christie Limited in the UK and elsewhere. All rights reserved.
www.agathachristie.com

Todos os direitos desta edição reservados a L&PM Editores
Rua Comendador Coruja, 314, loja 9 – Floresta – 90.220-180
Porto Alegre – RS – Brasil / Fone: 51.3225.5777 – Fax: 51.3221.5380

PEDIDOS & DEPTO. COMERCIAL: vendas@lpm.com.br
FALE CONOSCO: info@lpm.com.br
www.lpm.com.br

Impresso no Brasil
Inverno de 2017

Sumário

Uma tragédia de Natal | 5
O caso do bangalô | 35
Morte por afogamento | 61

Uma tragédia de Natal

– Tenho uma reclamação a fazer – disse Sir Henry Clithering. Seus olhos brilhavam suavemente enquanto olhava ao redor para o grupo ali reunido. O coronel Bantry, com as pernas esticadas, franzia o cenho para a decoração da lareira, como se esta fosse um soldado delinquente em um desfile militar. A esposa do coronel furtivamente folheava o catálogo de bulbos de plantas que chegara com a última entrega do correio. O dr. Lloyd tinha o olhar fixo, carregado de admiração, em Jane Helier, e a bela atriz contemplava pensativa suas unhas pintadas de rosa. Apenas aquela solteirona idosa, Miss Marple, estava sentada de forma ereta e alerta, e seus pálidos olhos azuis encontraram os olhos de Sir Henry com um brilho equivalente.

– Uma reclamação? – ela murmurou.

– Uma reclamação muito séria. Nós estamos em um grupo de seis pessoas, três representantes de cada sexo, e protesto em nome dos machos oprimidos. Três histórias foram contadas esta noite – e contadas pelos três homens! Protesto porque as mulheres não fizeram a parte delas.

– Ah! – disse a sra. Bantry com indignação. – Tenho certeza de que fizemos. Nós ouvimos as histórias com um apreço dos mais inteligentes. Demonstramos uma atitude verdadeiramente feminina, evitando nos jogar à frente dos holofotes!

– É uma excelente desculpa – disse Sir Henry –, mas não serve. E há um ótimo precedente em *As mil e uma noites*! Portanto, avante, Sherazade.

– Está se referindo a mim? – disse a sra. Bantry. – Mas não tenho nada para contar. Nunca estive cercada de sangue ou mistério.

– De forma alguma eu insistiria em sangue – disse Sir Henry. – Mas estou certo que alguma das três senhoras tem algum mistério favorito. Vamos lá, Miss Marple, conte a "Curiosa coincidência da diarista" ou o "Mistério da reunião das mães". Não permita que eu me desaponte com St. Mary Mead.

Miss Marple balançou a cabeça.

– Nada que pudesse lhe interessar, Sir Henry. Temos nossos pequenos mistérios, é claro; há o caso dos 150 gramas de camarão descascados que desapareceram de forma tão incompreensível; mas isso não lhe interessaria, pois tudo acabou se revelando tão trivial, embora esclareça significativamente a natureza humana.

– A senhora me ensinou a adorar a natureza humana – disse Sir Henry solenemente.

— E a srta. Helier? — perguntou o coronel Bantry. — Deve ter tido algumas experiências interessantes.

— Sim, de fato — disse o dr. Lloyd.

— Eu? — perguntou Jane. — Querem dizer, querem dizer que gostariam que eu relatasse algo que aconteceu comigo?

— Ou com algum de seus amigos — corrigiu Sir Henry.

— Ah! — disse Jane, evasiva. — Não acho que nada nunca tenha acontecido comigo, digo não esse tipo de coisa. Flores, é claro, e mensagens estranhas; mas isso é da natureza masculina, não é? Não acho que... — interrompeu-se e pareceu perdida em pensamentos.

— Vejo que teremos de ouvir aquela epopeia dos camarões — disse Sir Henry. — Pode começar, Miss Marple.

— O senhor gosta tanto da sua piada, Sir Henry. Os camarões são apenas uma bobagem à parte; mas agora, pensando bem, lembro-me *sim* de um incidente. Não exatamente um incidente, algo deveras mais sério: uma tragédia. E estive envolvida, de certa forma, no meio da confusão; e, com relação ao que fiz, nunca senti o menor arrependimento; não, nenhum arrependimento mesmo. Mas não foi em St. Mary Mead.

— Que decepção — disse Sir Henry. — Porém me esforçarei para superar isso. Sabia que não deveríamos confiar na senhora.

Ele se posicionou com atitude própria de ouvinte. Miss Marple ficou levemente ruborizada.

– Espero que seja capaz de contar de forma adequada – disse com ansiedade. – Temo que esteja muito inclinada a me tornar *divagante*. A gente se perde do assunto muitas vezes sem perceber que está fazendo isso. E é tão difícil de lembrar cada fato na ordem certa. Vocês todos me desculpem se eu contar mal a minha história. Aconteceu há muito, muito tempo.

"Como eu disse, não estava relacionada a St. Mary Mead. Na verdade, tinha a ver com uma Hidro..."

– A senhora quer dizer um hidroavião? – perguntou Jane, com os olhos arregalados.

– Não é disso que ela está falando, querida – disse a sra. Bantry e explicou-lhe. O marido acrescentou sua parcela:

– Lugares brutais, totalmente brutais! Há que se acordar cedo de manhã e beber água com gosto de imundície. É só um monte de velhas sentadas sem fazer nada. Ti-ti-tis de natureza maldosa. Deus, quando eu penso...

– Arthur – disse a sra. Bantry, placidamente –, sabe que fez um bem gigantesco para você.

– Um monte de velhas sentadas por todo o lugar só comentando escândalos – resmungou o coronel Bantry.

– Temo que isso seja verdade – disse Miss Marple. – Eu mesma...

– Minha querida Miss Marple – exclamou o coronel, horrorizado –, não quis insinuar de forma alguma...

Com as bochechas rosadas e um pequeno gesto com a mão, Miss Marple o impediu de continuar.

– Mas é *verdade*, coronel Bantry. Apenas quero dizer isso. Permita-me organizar meus pensamentos. Sim. Comentar escândalos, como o senhor diz; bem, *isso* se faz bastante. E as pessoas em geral gostam de fazer isso, em especial as mais jovens. Meu sobrinho, que escreve livros – e livros muito inteligentes, acredito –, já disse as coisas mais *mordazes* sobre alguém difamar o caráter das pessoas sem nenhuma espécie de provas e o quanto isso é cruel, e assim por diante. Mas digo que nenhum desses jovens para alguma vez para *pensar*. Realmente não examinam os fatos. Certamente o nó da questão toda é este: *com que frequência o ti-ti-ti,* como o senhor diz, *é a mais pura verdade?* Acho que se, como eu disse, realmente examinassem os fatos, descobririam que nove vezes em dez é a pura verdade! E é justo isso que deixa as pessoas tão aborrecidas.

– Uma suposição inspirada – disse Sir Henry.

– Não, não é isso, não se trata disso mesmo! É realmente uma questão de prática e experiência. Ouvi dizer que, se mostrar a um egiptólogo um daqueles besourinhos curiosos, ele sabe dizer de que época antes de Cristo ele é, ou se é uma imitação de Birmingham. E não sabe dizer qual a regra definitiva para fazer isso. Ele simplesmente *sabe*. Passou a vida fazendo isso.

"Isso é o que estou tentando dizer (muito mal, eu sei). Aquelas que meu sobrinho chama de 'mulheres supérfluas' têm tempo de sobra nas mãos, e o principal interesse delas é geralmente em outras *pessoas*. Assim, vejam bem, elas se tornam o que chamaríamos de *experts*. E os jovens de hoje... falam muito abertamente sobre coisas que não se podia mencionar nos meus dias de juventude, mas, por outro lado, são muito inocentes nos seus pensamentos. Acreditam em tudo e em todos. E se tentamos avisá-los, mesmo que com todo o cuidado, dizem que temos uma cabeça vitoriana – e dizem que isso é como uma *fossa*."

– E enfim – disse Sir Henry –, o que há de errado com uma *fossa*?

– Exatamente – disse Miss Marple, animada. – É a parte mais necessária de uma casa; mas, é claro, nada romântica. Devo confessar que tenho meus *sentimentos*, como todo mundo, e fui algumas vezes cruelmente ferida por comentários descuidados. Sei que os cavalheiros não se interessam por assuntos domésticos, mas preciso apenas mencionar minha empregada Ethel, uma moça muito bonita e esforçada sob todos os aspectos. Porém percebi, assim que a vi, que era do mesmo tipo de Annie Webb e da filha da pobre sra. Bruitt. Caso surgisse a oportunidade, os conceitos de *o meu* e *o seu* não significariam nada para ela. Então a mandei embora no final do mês e dei-lhe referências por escrito, dizendo que era honesta e séria, mas em particular adverti a velha sra. Edwards para não contratá-la; e meu sobrinho, Raymond, ficou furioso e disse nunca ter ouvido nada mais cruel – sim, *cruel*. Bem, ela foi trabalhar com Lady Ashton, a quem não me senti na obrigação de advertir; e o que aconteceu? Toda a renda das roupas íntimas dela foi arrancada e dois broches de diamantes levados embora – a moça partiu no meio da noite e nunca mais foi vista!

Miss Marple fez uma pausa, inspirou profundamente e, então, prosseguiu.

– Vão dizer que isso não tem nada a ver com o que se passava no Keston Spa Hidroterápico, mas de certa forma tem. Explica o motivo pelo qual não tive nenhuma dúvida, desde o primeiro momento em que vi o casal Sanders, de que ele queria dar um fim na esposa.

– Hein? – disse Sir Henry, inclinando-se para frente.

Miss Marple virou-se para ele com a expressão plácida.

– Como eu disse, Sir Henry, não tive nenhuma dúvida. O sr. Sanders era um homem grande, bonito, com o rosto corado, de modos muito joviais e popular com todo mundo. E ninguém poderia ser mais aprazível com a esposa do que ele. Mas eu sabia! Ele queria dar um fim nela.

– Minha cara Miss Marple...
– Sim, eu sei. É o que meu sobrinho Raymond West diria. Ele diria que eu não tenho um vestígio que seja de prova. Mas lembro bem do caso de Walter Hones, que gerenciava o Green Man. Voltando para casa com a esposa certa noite, ela caiu no rio; e *ele* ficou com o dinheiro do seguro! E de pelo menos mais uma ou duas pessoas que estão andando por aí, livres, leves e soltas até hoje; uma de fato da nossa mesma classe. Foi para a Suíça passar férias de verão escalando com a esposa. Avisei-a para não ir – a coitadinha não ficou brava comigo como poderia ter ficado, ela apenas riu. Parecia tão engraçado que uma coisa velha e estranha como eu falasse assim do Harry dela. Bem, bem, houve um acidente; e Harry está casado com outra mulher agora. Mas o que eu poderia *fazer*? Eu *sabia*, mas não tinha provas.

– Ah! Miss Marple – exclamou a sra. Bantry.
– A senhora não está dizendo...

– Minha querida, essas coisas são muito comuns, muito comuns mesmo. E os cavalheiros ficam particularmente tentados, por serem mais fortes. É tão fácil se a coisa for parecer um acidente. Como eu disse, percebi de imediato no caso dos Sanders. Aconteceu num bonde. Estava lotado na parte de dentro e tive de ir na parte superior. Nós três nos levantamos para descer, e o sr. Sanders perdeu o equilíbrio, caindo diretamente em cima da esposa e arremessando-a de cabeça escada abaixo. Por sorte, o condutor era um jovem muito forte e a segurou.

– Mas certamente deve ter sido um acidente.

– Claro que foi um acidente, nada poderia ter parecido mais acidental! Porém o sr. Sanders havia trabalhando a serviço da Marinha Mercante, ele me contou, e um homem que consegue se equilibrar num barco que se inclina o tempo todo de forma tão desagradável não vai perder o equilíbrio logo em cima de um bonde, se até uma velha como eu não perde. Não vá me dizer!

– De qualquer forma já entendemos que a senhora formou sua opinião, Miss Marple – disse Sir Henry. – Formou-a desde o instante daquele incidente.

A velhinha assentiu.

– Tive certeza o bastante, e outro incidente, ao atravessar a rua não muito depois, me deixou ainda mais segura. Agora eu lhe pergunto, Sir Henry, o que poderia eu fazer? Ali estava uma simpática e contente jovem esposa, perfeitamente feliz, prestes a ser assassinada.

– Minha cara, a senhora me tira o fôlego.

– Isso é porque, como a maioria das pessoas de hoje, o senhor não quer encarar os fatos. Prefere pensar que algo poderia não ser assim. Mas era bem assim, e eu sabia. Porém, ficamos incapacitados, infelizmente! Eu não poderia, por exemplo, ir à polícia. E sabia que tentar avisar a mocinha seria inútil. Ela era devotada ao marido. Incumbi-me da tarefa de descobrir o que podia sobre eles. Há muitas oportunidades para isso quando a pessoa faz trabalhos manuais ao redor da lareira. A sra. Sanders (Gladys era o nome dela) gostava muito de falar. Parece que não estavam casados há muito tempo. O marido tinha algumas propriedades que ainda seriam destinadas a ele, mas no momento estavam muito mal de dinheiro. Na verdade, estavam vivendo da pequena renda que ela tinha. Essa é uma historieta conhecida. Ela lamentava o fato de não poder tocar em seu capital. Parece que alguém, em algum lugar, tivera bom-senso! Mas o dinheiro era dela para repassar em testamento; isso eu descobri. E ela e o marido haviam feito testamentos a favor um do outro logo após o casamento. Muito comovente. É claro, quando os negócios de Jack ficassem todos certos... Aquele era o fardo, dia após dia e, enquanto isso, eles estavam bem apertados; na verdade, estavam alojados num quarto no andar de cima, junto com os serviçais – e era tão perigoso no caso de um incêndio! No entanto, por coincidência, havia uma saída de emergência justo do lado de fora da janela deles. Indaguei cuidadosamente se havia uma sacada – perigosas, essas sacadas. Basta um empurrão... e já sabem!

"Fiz a moça prometer não sair para a sacada; disse que foi um sonho que tive. Isso deixou-a impressionada – superstições podem ser muito úteis às vezes. Era uma garota clara, com a tez num tom bastante lavado, e um coque de cabelo desarrumado junto ao pescoço. Muito crédula. Repetiu ao marido o que eu havia dito, e notei que ele olhara para mim com curiosidade uma ou duas vezes. *Ele* não era crédulo; e lembrava que eu estivera naquele mesmo bonde.

"Mas eu estava preocupada, terrivelmente preocupada, porque não via como contorná-lo. Poderia evitar que qualquer coisa acontecesse na estação de hidroterapia; bastava dizer algumas palavras para mostrar que eu suspeitava dele. Mas isso só faria com que ele adiasse o plano. Não. Comecei a acreditar que a única política possível seria a ousadia, de um jeito ou de outro preparar uma armadilha para ele. Se conseguisse induzi-lo a tentar tirar a vida dela da forma que eu escolhesse; bem, daí ele poderia ser desmascarado, e ela seria forçada a enxergar a verdade, por mais chocante que fosse."

– A senhora me deixa sem ar – disse o dr. Lloyd. – Que tipo de estratégia concebível poderia adotar?

– Teria encontrado uma; nunca tema – disse Miss Marple. – Mas o homem era esperto demais para mim. Não esperou. Pensava que eu poderia suspeitar, então atacou antes que eu pudesse ter certeza. Sabia que eu suspeitaria de um acidente. Então, transformou em um assassinato.

Ouviu-se um suspiro de assombro ao redor do círculo. Miss Marple assentiu e apertou os lábios de forma sombria.

– Receio que tenha feito a declaração de modo um tanto abrupto. Tentarei contar a vocês exatamente o que ocorreu. Fiquei muito amarga com relação a isso; me parece que eu deveria, de algum jeito, ter evitado o crime. Porém, sem dúvida nenhuma, a providência divina sempre sabe o que é melhor. Para todos os efeitos, fiz o que pude.

"Havia o que posso descrever apenas como uma sensação de mistério no ar. Parecia que algo estava pesando sobre nós todos. Um sentimento de infortúnio. Para começar, havia George, o porteiro. Estava lá há anos e conhecia todo mundo. Teve bronquite e pneumonia e morreu no quarto dia. Uma tristeza terrível. Um golpe para todo mundo. E ainda quatro dias antes do Natal. Depois, uma das camareiras, uma moça tão boazinha, teve um dedo infeccionado e morreu em 24 horas.

"Eu estava no salão com a srta. Trollope e a velha sra. Carpenter, e a sra. Carpenter estava sendo muito macabra, saboreando cada momento, sabem?

"'Lembrem das minhas palavras', disse ela. '*Não vai terminar por aí.* Conhecem o ditado? *Nunca duas sem uma terceira.* Já comprovei isso repetidas vezes. Vai haver uma terceira morte.

Sem dúvida nenhuma. E não vamos precisar esperar muito. *Nunca duas sem uma terceira.*'

"Enquanto ela dizia as últimas palavras, balançado o queixo e batendo as agulhas de tricô uma na outra, por acaso olhei para cima e lá estava o sr. Sanders, parado na entrada da porta. Por apenas um segundo ele havia baixado a guarda, e pude ver a expressão do rosto dele clara como o dia. Vou acreditar até o dia da minha morte que foi a morbidez das palavras da sra. Carpenter que plantou a ideia toda na cabeça dele. Pude ver os pensamentos revolvendo na mente daquele homem.

"Deu um passo e entrou na sala, sorrindo com seu jeito simpático.

"'Alguma compra de Natal que possa fazer pelas senhoras?', perguntou. 'Estou saindo para Keston agora mesmo.'

"Ficou ali por um ou dois minutos rindo e conversando, e então saiu. Como estou dizendo, eu estava perturbada e perguntei sem rodeios:

"'Onde está a sra. Sanders? Alguém sabe?'

"A sra. Trollope disse que ela havia saído com uns amigos, os Mortimer, para jogar bridge, e aquilo acalmou meus pensamentos por alguns instantes. Mas eu seguia muito preocupada e sem saber o que fazer. Quase meia hora mais tarde, subi para o meu quarto. Encontrei o dr. Coles, meu médico, descendo as escadas enquanto eu subia, e, como eu queria consultá-lo sobre meu reumatismo, fui com ele até o meu quarto na mesma hora. Me contou então (em segredo, ele disse) sobre a morte da pobre moça, Mary. O gerente não queria que a notícia se espalhasse, e o doutor perguntou então se eu poderia ser discreta. É claro que não disse a ele que todo mundo não falava em outra coisa desde o último suspiro da mocinha. Essas coisas sempre se espalham imediatamente, e um homem com a experiência dele deveria saber muito bem disso; mas o dr. Coles sempre fora um camarada simples e sem malícia, que acreditava no que queria acreditar, e foi justamente isso que me deixou alarmada no minuto seguinte. Disse, enquanto saía do quarto, que Sanders havia pedido para que ele examinasse a mulher dele. Parecia que ela não andava muito bem nos últimos dias... indigestão etc.

"*Naquele mesmo dia Gladys Sanders havia me dito que tinha uma digestão maravilhosa e era muito agradecida por isso.*

"Estão vendo? Todas as minhas suspeitas daquele homem retornaram multiplicadas por cem. Ele estava preparando o caminho, mas para quê? O dr. Coles saiu antes que eu pudesse decidir se falava com ele ou não, porém, se tivesse decidido falar, não saberia o que dizer. Quando saí do quarto, ele mesmo, Sanders, descia as escadas vindo do andar de cima. Estava vestido para sair e perguntou mais uma vez se poderia fazer algo por mim na cidade. Fiz o que podia no momento para ser civilizada com ele! Entrei direto na sala de estar e pedi um chá. Eram exatamente cinco e meia, eu me lembro.

"Estou muito ansiosa para explicar com detalhes o que aconteceu a seguir. Estava ainda na sala de estar às quinze para as sete quando o sr. Sanders chegou. Havia dois senhores com ele, e os três estavam propensos a ficar um pouquinho animados demais. O sr. Sanders deixou seus amigos e veio diretamente para onde eu estava sentada com a srta. Trollope. Explicou que queria nossa opinião sobre um presente de Natal que daria à esposa. Era uma bolsa para a noite.

"'E vejam, senhoras', disse ele. 'Sou um simples marinheiro rude. Que sei eu sobre essas coisas? Me enviaram três tipos para escolher e quero uma opinião especializada no assunto.'

"Dissemos, é claro, que adoraríamos ajudá-lo, e perguntou se nos importávamos de subir com ele, já que a esposa poderia chegar a qualquer momento e estragaria a surpresa se visse as coisas ali. Então subimos com ele. Jamais esquecerei o que aconteceu a seguir – ainda sinto meus dedinhos formigando.

"O sr. Sanders abriu a porta do quarto e acendeu a luz. Não sei quem de nós viu primeiro...

"*A sra. Sanders estava deitada no chão com o rosto virado para baixo – morta.*

"Cheguei até ela primeiro. Me ajoelhei, tomei sua mão e procurei o pulso, mas foi inútil, o braço em si estava frio e duro. Junto à cabeça dela havia um pé de meia cheio de areia – a arma com a qual havia sido golpeada. A srta. Trollope, tola que só ela, gemia e gemia perto da porta, segurando a cabeça. Sanders deu um grito dizendo 'Minha mulher, minha mulher!' e correu para ela. Não deixei que ele a tocasse. Vejam bem, estava certa naquela hora de que ele a havia matado e podia haver algo que ele quisesse tirar dali ou esconder.

"'Nada deve ser tocado', eu disse. 'Componha-se, sr. Sanders. Srta. Trollope, por favor, desça e chame o gerente.'

"Fiquei ali, ajoelhada junto ao corpo. Não iria deixar Sanders sozinho. E ainda assim, fui forçada a admitir que, se o homem estava encenando, era um ator maravilhoso. Parecia atordoado, desorientado e absolutamente aterrorizado.

"Rapidamente o gerente chegou. Fez uma inspeção rápida no quarto, então nos tirou todos dali e trancou a porta, levando a chave. Saiu e telefonou para a polícia. Demoraram tanto, que pareceu terem levado uma era para chegar (ficamos sabendo depois que a linha telefônica não estava funcionando). O gerente teve de enviar um mensageiro até a delegacia; a Hidro ficava nos arredores da cidade, na divisa com o campo. A sra. Carpenter nos indagou a todos muito inquisitiva. Estava muito satisfeita que sua profecia de 'nunca duas sem uma terceira' tinha se realizado tão depressa.

"Ouvi dizer que Sanders ficou vagando, segurando a cabeça com as mãos, murmurando e demonstrando todos os sinais de dor.

"Entretanto, a polícia enfim chegou. Subiram com o gerente e o sr. Sanders. Mais tarde me chamaram. Então subi. O inspetor estava lá, sentado à mesa, escrevendo. Era um homem de ar inteligente e gostei dele.

"'Srta. Jane Marple?', disse.

"'Sim.'

"'A senhorita estava presente quando o corpo da falecida foi encontrado?'

"Respondi que estava e descrevi exatamente o que havia ocorrido. Acho que foi um alívio para o pobre homem encontrar alguém que conseguia responder suas perguntas de forma coerente, tendo antes questionado Sanders e Emily Trollope que, suponho, estava completamente descomposta, e como não haveria de estar, a tola criatura! Lembro-me de minha querida mãe ensinando que uma mulher bem-nascida deveria sempre ser capaz de se controlar em público, não importando o quanto ela deixasse transparecer na esfera privada."

– Uma máxima admirável – disse Sir Henry, com seriedade.

– Quando concluí, o inspetor disse: "'Obrigado, madame. Agora receio que devo pedir que olhe o corpo apenas uma vez mais. É esta a posição exata na qual se encontrava quando vocês entraram no quarto? Não foi movido de forma alguma?"

"Expliquei que havia evitado que sr. Sanders assim fizesse, e o inspetor assentiu em sinal de aprovação.

"'O cavalheiro parece terrivelmente abalado', ele observou.

"'Parece de fato, sim', respondi.

"Não creio que tenha colocado qualquer ênfase especial na palavra 'parece', mas o inspetor me observou muito intensamente.

"'Então podemos concluir que o corpo está exatamente na mesma posição em que foi encontrado?', ele perguntou.

"'Exceto pelo chapéu, sim', respondi.

"O inspetor olhou para cima bruscamente.

"'O que quer dizer com... o chapéu?'

"Expliquei que o chapéu estivera antes na cabeça da pobre Gladys, enquanto agora se encontrava depositado ao seu lado. Pensei, é claro, que a polícia havia feito isso. O inspetor, no entanto, negou enfaticamente. Nada havia, até o momento, sido movido ou tocado. Ficou parado, olhando para a pobre figura virada para o chão, intrigado, com a testa franzida. Gladys estava vestida com suas roupas de sair, um grande casaco de tweed vermelho-escuro com uma gola de pelos cinza. O chapéu, uma peça barata de feltro vermelho, estava disposto ao lado da cabeça.

"O inspetor ficou mais alguns minutos parado em silêncio, franzindo o cenho. Então, uma ideia lhe ocorreu.

"'A senhora consegue, por um acaso, lembrar, madame, se ela tinha brincos nas orelhas, ou se a falecida costumava usar brincos?'

"Felizmente eu tenho o hábito de observar detalhes. Lembrei de ter visto um brilho de pérolas logo abaixo da aba do chapéu, embora no momento não tivesse dado nenhuma atenção especial a isso. Pude responder à primeira pergunta dele afirmativamente.

"'Isso resolve o caso. O porta-joias dela foi esvaziado; não que houvesse algo de muito valor, pelo que entendi; e os anéis foram retirados dos dedos. O assassino deve ter esquecido dos brincos, e voltou para pegá-los depois que o assassinato foi descoberto. Um freguês calculista! Ou talvez...' Ele olhou ao redor do quarto e disse devagar: 'Ele pode ter ficado escondido aqui no quarto... o tempo todo'.

"Mas rejeitei aquela ideia. Eu mesma, expliquei, havia olhado embaixo da cama. E o gerente havia aberto as portas do guarda-roupas. Não havia nenhum outro lugar onde um homem pudesse se esconder. É verdade que o compartimento de chapéus estava trancado no meio do guarda-roupas, mas, como era raso e com prateleiras, ninguém poderia se esconder ali.

"O inspetor movia a cabeça devagar enquanto eu explicava tudo aquilo.

"'Vou acreditar em sua palavra, madame', disse. 'Neste caso, como disse antes, ele deve ter retornado. Um freguês muito tranquilo.'

"'Mas o gerente trancou a porta e levou a chave!'

"'Isso não quer dizer nada. A sacada e a saída de incêndio – foi por ali que o ladrão veio. Ora, é mesmo possível que vocês tenham atrapalhado o trabalho dele. Ele se esgueira pela janela e, quando saem, ele retorna e continua de onde parou.'

"'Tem certeza', eu disse, 'de que *há* um ladrão?'

"Ele respondeu secamente:

"'Bem, é o que parece, não é mesmo?'

"Mas algo no tom dele me satisfez. Senti que ele não levaria tão a sério o sr. Sanders no papel do viúvo inconsolável.

"Vocês vejam, admito francamente: estava absolutamente dominada pelo conceito do que acredito que nossos vizinhos, os franceses, chamam de *idée fixe*. Sabia que aquele homem, Sanders, pretendia que sua mulher morresse. O que não dei abertura foi para aquela coisa fantástica e estranha chamada coincidência. Minha opinião sobre sr. Sanders era – eu tinha certeza – absolutamente correta e *verdadeira*. O homem era um canalha. Mas, embora sua pretensão hipócrita à dor não tenha me enganado por um segundo sequer, recordo de ter sentido que a *surpresa* e a *desorientação* dele naquele momento haviam sido encenadas de forma brilhante. Pareciam absolutamente *naturais*, se entendem o que quero dizer. Devo admitir que, após minha conversa com o inspetor, um sentimento curioso de dúvida foi tomando conta de mim. Porque, se Sanders tivesse feito essa coisa horrível, eu não conseguia imaginar nenhuma razão concebível por que ele deveria se esgueirar de volta pela escada de incêndio e tirar os brincos das orelhas da esposa. Não teria sido uma coisa *sensata*, e Sanders era um homem bastante sensato – por esse motivo sempre o achei tão perigoso."

Miss Marple olhou ao redor examinando sua plateia.

– Talvez vocês compreendam onde quero chegar. Tantas vezes, o inesperado é o que acontece neste mundo. Eu tinha tanta *certeza*, e isso me deixara cega. O resultado foi um choque para mim. *Pois ficara provado, sem nenhuma margem de dúvida, que o sr. Sanders não poderia, de jeito nenhum, ter cometido aquele crime...*

A sra. Bantry soltou um arquejo de surpresa. Miss Marple virou-se para ela.

– Sei bem, querida, que este não é o desfecho que esperava quando comecei a contar esta história. Tampouco era o que eu mesma esperava. Entretanto, fatos são fatos, e, se a pessoa demonstra estar errada, deve ter a humildade de recomeçar. Que o sr. Sanders no fundo era um assassino, eu sabia, e nada aconteceu depois que colocasse em dúvida essa minha convicção.

"Bem, imagino que vocês gostariam de saber quais eram os fatos em si. A sra. Sanders, como sabem, passara a tarde jogando bridge com alguns amigos, os Mortimer. Ela os deixara em torno das seis e quinze. Da casa daqueles amigos até a Hidro era uma caminhada de mais ou menos uns quinze minutos; talvez menos, se a pessoa estivesse apressada. Deve ter chegado, então, em torno das seis e meia. Ninguém a viu chegar, portanto deve ter entrado pela porta lateral e subido para o quarto. Lá, trocara de roupa (o casaco e a saia marrom-acinzentados que usara para o jogo de bridge estavam pendurados dentro do armário) e estava, é claro, se preparando para sair de novo quando fora golpeada. Muito possivelmente, dizem, sequer viu quem a acertou. O saco de areia, no meu entendimento, é uma arma muito eficiente. E tudo indica que os agressores estavam escondidos no quarto, talvez em um dos guarda-roupas grandes; aquele que ela não abrira.

"Agora, os movimentos do sr. Sandres. Saíra, como eu havia dito, em torno das cinco e meia ou pouco depois disso. Fez compras em alguns estabelecimentos e, em torno das seis da tarde, entrou no Grand Spa Hotel, onde encontrou dois amigos – com os quais retornaria mais tarde para a Hidro. Jogaram bilhar e, imagino, tomaram juntos alguns vários uísques com soda. Esses dois homens (Hitchcock e Spender eram os nomes deles) estiveram de fato com ele o tempo inteiro a partir das seis da tarde. Foram a pé com ele para a Hidro, e se separaram apenas quando ele encontrou a mim e a srta. Trollope. Aquilo, como relatei, fora em torno das quinze para as sete – momento em que sua esposa já deveria estar morta.

"Devo dizer que falei eu mesma com esses dois amigos dele. Não gostei dos dois. Não eram homens nem agradáveis nem cavalheirescos, mas fiquei bem certa de uma coisa: de que falavam a mais absoluta verdade quando diziam que Sanders estivera o tempo inteiro na companhia deles.

"Surge apenas um outro pequeno detalhe. Parece que, durante a partida de bridge, a sra. Sanders fora chamada ao telefone. Alguém chamado sr. Littleworth queria falar com ela. Ela parecera ao mesmo tempo animada e satisfeita com alguma coisa – e acidentalmente, cometeu um ou dois erros graves. Partiu bem mais cedo do que esperavam.

"Perguntaram ao sr. Sanders se ele conhecia o nome Littleworth como algum amigo de sua esposa, mas ele declarou que nunca havia ouvido falar de ninguém com aquele nome. E para mim isso é reforçado pela atitude da esposa; ela também não parecia reconhecer o nome Littleworth. No entanto, retornara do telefonema ruborizada e sorrindo, então parece que quem quer que tenha sido não dissera seu nome verdadeiro e isso, por si só, tem um aspecto suspeito, não tem?

"De todo modo, esse era o problema que restara. A história do ladrão, que parecia improvável – ou a teoria alternativa, segundo o qual sra. Sanders estaria se preparando para sair e encontrara alguém. Esse alguém teria chegado ao quarto dela pela saída de incêndio? Houve uma discussão? Ou ele traiçoeiramente a atacara?"

Miss Marple pausou.

– Bem? – disse Sir Henry. – Qual é a resposta?

– Estava me perguntando se algum de vocês seria capaz de adivinhar.

– Sempre fui péssima em adivinhações – disse a sra. Bantry. – É uma lástima que Sanders tivesse um álibi tão maravilhoso; mas, se a senhora estava satisfeita com ele, devia estar tudo certo.

Jane Helier moveu sua linda cabeça e fez uma pergunta.

– Por que o armário de chapéus estava trancado?

– Muito inteligente de sua parte, minha querida – disse Miss Marple, radiante. – Era isso mesmo que eu estivera me perguntando. Embora a explicação fosse bem simples. Lá dentro estavam um par de chinelos bordados e alguns lenços de bolso que a pobre moça estava bordando para o marido como presentes de Natal. Por isso trancara o armário. A chave fora encontrada na sua bolsa.

— Oh! — disse Jane. — Então no fim não era nada muito interessante.

— Oh! Mas é sim — disse Miss Marple. — É simplesmente a única coisa realmente interessante, o detalhe que botou abaixo todos os planos do assassino.

Todos olharam para a velhinha.

— Eu mesma não enxerguei isso por dois dias — disse Miss Marple. — Refleti e refleti; e então, de repente, lá estava, tudo claro. Fui até o inspetor e pedi que ele experimentasse fazer uma coisa, e ele aceitou.

— O que a senhora pediu que ele experimentasse?

— *Pedi que experimentasse encaixar o chapéu na cabeça daquela pobre moça*; e, é claro, não conseguiu. Não entrava. *O chapéu não pertencia a ela, ora vejam.*

A sra. Bantry olhou espantada.

— Mas estava na cabeça dela, para começo de conversa?

— Não na cabeça *dela*...

Miss Marple pausou por um instante para deixar que suas palavras fizessem efeito, e então prosseguiu.

— Nós supusemos que era o corpo da pobre Gladys ali; mas jamais examinamos o rosto.

Ela estava de bruços, lembrem-se, e o chapéu escondia tudo.

– Mas ela *foi* assassinada?

– Sim, depois. No momento em que estávamos telefonando para a polícia, Gladys Sanders estava bem viva.

– Está querendo dizer que era alguém se fazendo passar por ela? Mas com certeza quando tocaram nela...

– Era um cadáver, isso é certo – disse Miss Marple com seriedade.

– Mas, que absurdo – disse o coronel Bantry –, não se pode dispor de cadáveres assim a torto e a direito. Que fim deram ao... ao primeiro cadáver depois?

– Ele colocou de volta – disse Miss Marple. – Era um plano perverso, mas muito inteligente. Fora nossa conversa na sala de estar que dera a ideia a ele. O corpo da pobre Mary, a criada; por que não usá-lo? Recordem que o quarto dos Sander ficava lá em cima junto do alojamento dos empregados. O quarto de Mary era duas portas mais adiante. Os coveiros não viriam antes de escurecer, ele estava contando com isso. Carregou o corpo pela sacada (estava escuro às cinco horas) e vestiu-o com um dos vestidos da esposa e o enorme casaco vermelho. Então descobriu que o armário dos chapéus estava trancado! Só havia uma coisa que poderia fazer. Apanhou um dos chapéus da pobre moça. Ninguém iria perceber.

Depositou o saco de areia ao lado dela. Então saiu para estabelecer seu álibi.

"Telefonou para a esposa, se dizendo sr. Littleworth. Não sei o que disse a ela; era uma moça crédula, como já comentei antes. Mas conseguiu que ela saísse mais cedo do jogo de bridge e não retornasse à Hidro, e combinou de encontrar com ela no terreno da estação de águas, próximo a saída de incêndio, às sete horas. Provavelmente disse que tinha alguma surpresa para ela.

"Ela retorna à Hidro com os amigos e providencia para que a srta. Trollope e eu descubramos o crime junto com ele. Até finge que vai virar o corpo para cima, e eu o detenho! Então a polícia é chamada e ele sai cambaleando terreno afora.

"Ninguém pediu a ele um álibi para *depois* do crime. Encontra-se com a esposa, sobe com ela pela saída de incêndio, entram no quarto. Talvez tenha contado a ela alguma história sobre o corpo. Ela se abaixa sobre ele, o marido ergue o saco de areia e a golpeia... Oh, céus! Ainda hoje me causa nojo pensar nisso! Então, rapidamente, arranca o casaco e a saia dela, os pendura e veste nela as roupas do outro cadáver.

"*Porém, o chapéu não entra*. Mary tinha cabelos curtos; Gladys Sanders, como eu disse, tinha um coque enorme de cabelos. Ele é forçado a deixar o chapéu ao lado do corpo e espera que ninguém vá perceber. Então carrega o corpo da pobre Mary de volta ao quarto dela e o dispõe de forma digna mais uma vez."

— Parece incrível — disse o dr. Lloyd. — Os riscos que ele correu. A polícia poderia ter chegado antes da hora.

— O senhor lembra de que a linha não estava funcionando? — perguntou Miss Marple. — Aquilo foi obra *dele*. Não podia correr o risco de ter a polícia no local antes da hora. Quando finalmente chegaram, passaram um tempo no escritório do gerente antes de subirem até o quarto. Este era o ponto fraco do plano: o risco de alguém perceber a diferença entre um corpo que estivera morto por duas horas e um que estivera morto por pouco mais de meia hora; mas ele estava contando com o fato de que as pessoas que primeiro descobririam o crime não teriam conhecimento técnico.

Dr. Lloyd assentiu.

— Julgariam que o crime teria sido cometido em torno das quinze para as sete, ou por volta disso, imagino — disse ele. — E fora de fato cometido às sete, ou poucos minutos depois. Quando o médico da polícia fosse examinar o corpo, seria em torno das sete e meia, no mínimo. Ele não teria como saber.

— Sou eu quem mais deveria ter suspeitado — disse Miss Marple. — Pegara na mão da pobre menina, e ela estava gelada. E, pouco tempo depois, o inspetor falou como se o assassinato tivesse sido cometido logo antes de chegarmos ali; e não percebi nada!

– Acho que a senhora percebeu muita coisa, Miss Marple – disse Sir Henry. – Esse caso é de antes da minha época. Não lembro sequer de ter ouvido falar dele. O que aconteceu?

– Sanders foi enforcado – disse Miss Marple, firmemente. – Um trabalho bem feito. Jamais me arrependi da minha participação no caso levando aquele homem à justiça. Não tenho nenhuma paciência com esses escrúpulos humanitários modernos a respeito da pena capital.

Sua face endurecida suavizou-se.

– No entanto, com frequência me repreendi amargamente por ter falhado em salvar a vida daquela pobre moça. Mas quem teria dado ouvidos a uma velha tirando conclusões precipitadas? Bem, bem... quem sabe? Talvez tenha sido melhor para ela morrer enquanto ainda estava feliz do que teria sido seguir vivendo, infeliz e desiludida, num mundo que subitamente iria parecer tão inóspito. Amava aquele bandido e confiava nele. Ela nunca descobriu quem ele era de fato.

– Bem, então – disse Jane Helier –, ela ficou bem. Ficou melhor assim. Eu gostaria... – interrompeu-se.

Miss Marple olhou para a famosa, bela e bem-sucedida Jane Helier e assentiu de leve com a cabeça.

– Entendo, minha querida – disse ela muito delicada. – Entendo.

O caso do bangalô

– Lembrei de algo – disse Jane Helier.

Seu lindo rosto se iluminou com o sorriso confiante de uma criança esperando aprovação. Era o mesmo sorriso que mexia com as multidões todas as noites em Londres e que tinha rendido fortunas aos fotógrafos.

– Aconteceu – ela prosseguiu cautelosa – com uma amiga minha.

Todos emitiram ruídos encorajadores, mas levemente hipócritas. Coronel Bantry, sra. Bantry, Sir Henry Clithering, dr. Lloyd e a velha Miss Marple estavam convencidos de que a "amiga" de Jane era a própria Jane. Ela seria praticamente incapaz de lembrar ou ter interesse em qualquer coisa que afetasse qualquer outra pessoa.

– Minha amiga – continuou Jane – (não vou mencionar seu nome) era uma atriz; uma atriz muito conhecida.

Ninguém esboçou surpresa. Sir Henry Clithering pensou consigo mesmo: "Agora, quero só ver quantas frases ela vai conseguir dizer até esquecer a fachada de ficção e dizer 'eu' no lugar de 'ela'".

— Minha amiga estava fazendo uma turnê pela província; um ou dois anos atrás. Suponho que seja melhor não dizer o nome do lugar. Era uma cidadezinha na beira de um rio, não muito longe de Londres. Chamarei de...

Fez uma pausa, as sobrancelhas perplexas, imersas em pensamento. A simples invenção até mesmo de um nome qualquer parecia ser demais para ela. Sir Henry decidiu socorrê-la.

— Que tal chamarmos de Riverbury? – sugeriu de forma solene.

— Ah, sim, funciona esplendidamente. Riverbury, é fácil lembrar disso. Bem, como eu dizia, esta... amiga minha... estava em Riverbury com sua companhia, e uma coisa muito curiosa aconteceu.

Franziu as sobrancelhas mais uma vez.

— É muito difícil – disse ela, queixosa – dizer justamente o que se quer. A pessoa se confunde e pode falar as coisas na ordem errada.

— Está se saindo muito bem – disse o dr. Lloyd, encorajando-a. – Prossiga.

— Bem, essa coisa curiosa aconteceu. Minha amiga foi chamada à delegacia de polícia. E foi. Parecia que havia ocorrido um arrombamento em um bangalô à beira do rio e haviam prendido um jovem que contou uma história muito esquisita. Por isso a chamaram ali.

"Ela jamais havia estado em uma delegacia antes, mas foram muito gentis com ela; muito gentis de fato."

– Não poderia ser diferente, tenho certeza – disse Sir Henry.

– O sargento, acho que era um sargento, ou pode ter sido um inspetor, ofereceu a ela uma cadeira e explicou as coisas e, é claro, logo vi que se tratava de um engano...

"A-ha", pensou Sir Henry. "Eu. Aqui vamos nós. Bem como pensei."

– Contou minha amiga – continuou Jane, serenamente inconsciente de sua própria traição. – Explicou que estivera ensaiando com sua substituta no hotel e que jamais havia sequer ouvido falar nesse sr. Faulkener. Mas o sargento disse: "Srta. Hel...".

Parou e ficou ruborizada.

– Srta. Helman – sugeriu Sir Henry com uma piscadinha.

– Sim... sim, fica muito bem. Muito obrigada. Ele disse: "Bem, srta. Helman, pensei ter havido um engano sabendo que a senhorita está hospedada no Bridge Hotel", e ele perguntou se eu teria alguma objeção a confrontar... ou era de ser confrontada? Não me lembro.

– Na realidade, não faz diferença – disse Sir Henry, tranquilizando-a.

– De qualquer modo, encontrar com o tal rapaz. Então eu disse: "É claro que não". Eles o trouxeram e disseram: "Esta é a srta. Helier", e... Ah! – Jane interrompeu a história, boquiaberta.

– Tudo bem, querida – disse Miss Marple consolando-a. – Estávamos fadados a adivinhar, você sabe. E nem nos deu o nome do lugar ou qualquer outra coisa que seja realmente importante.

– Bem – disse Jane. – Tinha a intenção de contar como se tivesse se passado com outra pessoa, mas é *difícil*, não é mesmo? Quero dizer, é fácil de se confundir.

Todos a asseguraram de que era muito difícil. Então, mais calma e tranquilizada, ela prosseguiu com sua narrativa levemente embaralhada.

– Ele era um rapaz bem atraente; bastante atraente mesmo. Jovem, de cabelos avermelhados. O queixo dele caiu quando olhou para mim. E o sargento disse: "É esta a senhora?", e ele disse: "Não, de fato não é. Como fui idiota". Sorri para ele e falei que não tinha importância.

– Estou imaginando a cena – disse Sir Henry.

Jane Helier franziu a testa.

– Deixe-me ver... como seria melhor continuar?

– Talvez nos dizendo do que se trata, querida – disse Miss Marple com tanta doçura que ninguém jamais poderia suspeitar do fundo de ironia. – Digo, qual fora o engano do rapaz, e sobre o arrombamento.

– Ah, sim – disse Jane. – Bem, vejam, este rapaz, Leslie Faulkener era o nome dele, havia escrito uma peça. Havia escrito várias peças, na verdade, embora nenhuma delas tivesse sido produzida. E havia enviado este script em particular para eu ler. Eu não sabia de nada, porque é claro, centenas de scripts são enviados para mim, e eu mesma leio pouquíssimos deles, apenas os que eu souber algo a respeito. De qualquer modo, lá estava, e parece que o sr. Faulkener havia recebido uma carta minha, que se revelou não ser de fato minha, vocês compreendem...

Fez uma pausa, e eles a asseguraram que estavam compreendendo.

– Dizendo que eu havia lido o script e gostado muito e que ele deveria vir conversar comigo. E dava o seguinte endereço: The Bungalow, Riverbury. Então, o sr. Faulkener estava inacreditavelmente feliz, fizera a viagem e chegara ao tal lugar, The Bungalow. A criada abriu a porta, ele perguntou pela srta. Helier, e ela respondeu que a srta. Helier estava esperando por ele e o levou até a sala de estar, onde uma mulher o recebeu. Ele a aceitou naturalmente como sendo eu, o que parece estranho porque, afinal, já tinha me visto atuar e as minhas fotografias são muito conhecidas, não são?

– Por toda a extensão e largura da Inglaterra – disse a sra. Bantry prontamente. – Mas muitas vezes há uma grande diferença entre uma fotografia e o original, minha querida Jane. E há uma grande diferença entre se estar banhada pelas luzes do palco e estar fora dele. Não são todas as atrizes que passam nesse teste tão bem quando você, lembre-se disso.

– Bem – disse Jane, sensibilizada –, isso pode até ser. De qualquer jeito, descreveu essa mulher como alta e clara, com enormes olhos azuis e muito bonita, então suponho que fosse um tanto parecida. Certamente ele não suspeitara de nada. Ela sentou e começou a falar do script dele e disse que estava ansiosa para estrear na peça. Enquanto conversavam, foram servidos coquetéis e o sr. Faulkener aceitou um, naturalmente. Bem, e isso é tudo de que ele lembra, de ter tomado o coquetel. Quando acordou, ou voltou a si, ou como quer que chamem isso, estava deitado na estrada, junto ao acostamento, claro, então não havia perigo de que fosse atropelado. Se sentiu muito trêmulo e esquisito, tanto foi assim que simplesmente levantou e foi cambaleando junto à estrada sem saber para onde estava indo. Disse que, se tivesse de posse dos seus sentidos, teria retornado ao The Bungalow e tentado descobrir o que havia se passado. Mas sentia-se entorpecido e desorientado e ficou caminhando sem saber direito o que estava fazendo. Estava quase voltando a si quando a polícia o prendeu.

– Por que a polícia o prendeu? – perguntou o dr. Lloyd.

– Eu não contei a vocês? – disse Jane, arregalando os olhos. – Que tonta que sou. O arrombamento.

– Você mencionou um arrombamento, mas não disse onde, nem como, nem por quê – disse a sra. Bantry.

– Bem, esse bangalô, no qual ele havia estado, é claro, não era mesmo meu. Pertencia a um homem cujo nome era...

Novamente, Jane apertou as sobrancelhas.

– Quer que eu dê uma de padrinho novamente? – perguntou Sir Henry. – Pseudônimos fornecidos sem ônus para o cliente. Descreva o ocupante e farei a nomeação.

– Era ocupado por um homem rico da cidade, um aristocrata.

– Sir Herman Cohen – sugeriu Sir Henry.

– Perfeito! Comprara a propriedade para uma mulher, era a esposa de um ator, e ela também era atriz.

– Chamaremos o ator de Claud Leason – disse Sir Henry –, e a mulher seria conhecida por seu nome artístico, suponho; portanto, vamos chamá-la de srta. Mary Kerr.

– Acho que o senhor é terrivelmente inteligente – disse Jane. – Não sei como consegue inventar essas coisas tão rápido. Bem, vejam, era um tipo de chalé de fim de semana para Sir Herman (o senhor disse Herman?) e a tal mulher. É claro que a esposa dele não sabia de nada.

– O que tão frequentemente é o caso – disse Sir Henry.

– E havia dado à tal atriz uma grande quantidade de joias, incluindo algumas esmeraldas muito valiosas.

– Ah! – disse o dr. Lloyd. – Agora estamos chegando ao ponto.

— Essas joias estavam no bangalô, trancadas apenas num porta-joias. A polícia disse que fora algo muito descuidado, qualquer um poderia ter roubado.

— Está vendo, Dolly? — disse o coronel Bantry. — O que é que eu sempre digo?

— Bem, na minha experiência — disse a sra. Bantry —, são sempre as pessoas tão terrivelmente cuidadosas que perdem as coisas. Não tranco as minhas num porta-joias, as mantenho soltas em uma gaveta, embaixo das minhas meias. Ousaria dizer que se... Qual o nome dela?... Mary Kerr tivesse feito o mesmo, jamais teriam sido roubadas.

— Teriam — disse Jane —, porque todas as gavetas foram abertas à força, e seu conteúdo espalhado por todo o lugar.

— Então não estavam realmente atrás de joias — disse a sra. Bantry. — Estavam procurando documentos secretos. Isso é o que sempre acontece nos livros.

— Não sei se estavam atrás de documentos secretos — disse Jane, duvidando. — Nunca ouvi nada sobre isso.

— Não se distraia, srta. Helier — disse o coronel Bantry. — As loucas pistas falsas plantadas por Dolly não devem ser levadas a sério.

— Sobre o arrombamento — disse Sir Henry.

— Sim. Bem, a polícia foi chamada por alguém se dizendo srta. Mary Kerr. Ela informou que o bangalô havia sido assaltado e descrevera um rapaz de cabelos ruivos que havia aparecido lá naquela manhã. A empregada achara que havia algo de estranho no rapaz e recusou a entrada dele, porém mais tarde o viram escapando por uma janela. Descrevera o homem com tamanha precisão que a polícia o prendeu uma hora depois, e então ele contou aquela história e mostrou a eles a carta escrita em meu nome. Como eu havia dito, mandaram me buscar, e quando ele me viu disse o que lhes contei, que não havia sido eu de jeito nenhum.

– Uma história muito curiosa – disse o dr. Lloyd. – O sr. Faulkener conhecia essa srta. Kerr?

– Não, não conhecia; ou disse não conhecer. Mas ainda não contei a parte mais intrigante. A polícia foi até o bangalô, é claro, e encontrou tudo conforme havia sido descrito: as gavetas puxadas para fora e as joias desaparecidas, mas a casa estava vazia. Só horas mais tarde, Mary Kerr voltou e, quando chegou à casa, disse que jamais havia chamado a polícia e que era a primeira vez que estava ouvindo falar do ocorrido. Parece que havia sido informada naquela manhã que um empresário ofereceu a ela um papel dos mais importantes e marcou uma reunião com ela, então naturalmente correu à cidade para chegar no horário. Quando chegou lá, descobriu que tudo não passava de um trote. Nenhum telegrama havia sido enviado.

— Um artifício bem comum para tirá-la do caminho — comentou Sir Henry. — E os criados?

— O mesmo tipo de coisa ocorrera ali. Havia apenas uma, que fora chamada ao telefone aparentemente pela própria Mary Kerr, que teria dito que havia esquecido algo muito importante. Instruíra a criada para levar uma certa bolsa que estava na gaveta no quarto. Era para ela tomar o primeiro trem. A criada assim o fez, é claro, trancando a casa; mas, quando chegou até o clube da srta. Kerr, onde fora instruída a encontrar a patroa, ficou esperando em vão.

— Hmm — fez Sir Henry. — Começo a vislumbrar. A casa fora deixada vazia, e para se entrar por uma das janelas não haveria dificuldade, imagino. Mas não estou enxergando onde entra o sr. Faulkener. Quem afinal chamou a polícia se não foi a srta. Kerr?

— Isso ninguém jamais soube ou descobriu.

— Interessante — disse Sir Henry. — O jovem revelou ser genuinamente quem ele dizia que era?

— Ah, sim, aquela parte estava toda correta. Até havia recebido a carta que supostamente teria sido enviada por mim. Não parecia nem um pouco com minha letra, mas, claro, ele não teria como saber disso.

— Bem, vamos estabelecer as posições com clareza — disse Sir Henry. — Me corrija se eu estiver errado. Senhora e criada são atraídas para fora da casa. O jovem é atraído para o local por uma carta enganosa, com o colorido adicional dado a este último detalhe pelo fato de que a senhorita estava de fato representando em Riverbury naquela semana. O jovem é drogado, e a polícia é chamada, direcionando as suspeitas contra ele. Um arrombamento de fato ocorrera. Presumo que as joias tenham sido levadas.

— Ah, sim.

— Chegaram a ser recuperadas em algum momento?

— Não, nunca. Acho, na verdade, que Sir Herman tentou abafar o caso como pôde. Mas não conseguiu segurar tudo, e imagino que a esposa tenha dado entrada com o processo de divórcio como consequência do escândalo. Embora eu não tenha certeza disso.

— O que aconteceu com o sr. Leslie Faulkener?

— No fim, ele foi liberado. A polícia disse que não tinha de fato muita coisa contra ele. Não acham tudo isso muito estranho?

— Muito estranho. A primeira pergunta é em qual história devemos acreditar? Ao contar, srta. Helier, percebi que a senhorita está inclinada a acreditar no sr. Faulkener. Tem alguma razão para isso além de um instinto com relação à questão?

— Não, não – disse Jane, a contragosto. – Suponho que não tenha, mas ele era tão bonzinho, e se desculpou tanto por ter me confundido com outra pessoa, que tenho certeza de que ele *tinha* de estar falando a verdade.

– Entendo – disse Sir Henry, sorrindo. – Mas deve admitir que ele poderia ter inventado a história toda facilmente. Poderia ele mesmo ter escrito a carta se fazendo passar pela senhorita. Pode ter drogado a si próprio após ter efetuado o arrombamento com sucesso. Mas confesso que não entendo com que *objetivo* ele faria tudo isso. Seria mais fácil entrar na casa, se servir do que interessasse e desaparecer com discrição; a menos que ele tenha sido visto por alguém na vizinhança e tivesse consciência de que fora observado. Então poderia ter inventado esse plano na hora para desviar a atenção de si mesmo e explicar sua presença nos arredores.

– Ele estava bem de vida? – perguntou Miss Marple.

– Acho que não – disse Jane. – Não, acho até que ele tinha poucos recursos.

– A coisa toda parece curiosa – disse o dr. Lloyd. – Se aceitarmos a história do rapaz como verdadeira, o caso torna-se ainda mais difícil. Por que essa mulher desconhecida que fingira ser a srta. Helier iria arrastar um outro desconhecido para o esquema? Por que encenaria uma comédia tão elaborada?

– Diga-me, Jane – disse a sra. Bantry. – O jovem Faulkener alguma vez ficou cara a cara com Mary Kerr em alguma etapa da investigação?

– Não sei ao certo – disse Jane lentamente, enquanto movia as sobrancelhas num esforço de memória.

– Porque, se ele não ficou, o caso está resolvido! – disse a sra. Bantry. – Estou confiante de que estou certa. Há algo mais fácil do que fazer de conta que se é chamado para ir à cidade? Você telefona para sua criada de Paddington ou qualquer outra estação em que estiver e, quando ela chega na cidade, você retorna. O jovem chega para o horário marcado, ele é drogado, você monta o cenário do arrombamento, exagerando onde for possível. Telefona para a polícia, dá uma descrição do seu bode expiatório, e parte mais uma vez para a cidade. Então chega em casa no trem seguinte e se faz passar por surpresa e inocente.

– Mas por que ela roubaria as próprias joias, Dolly?

– Elas sempre fazem isso – disse a sra. Bantry. – E, de qualquer modo, consigo pensar em centenas de motivos. Talvez quisesse o dinheiro todo de uma vez e o velho Sir Herman não podia lhe dar em espécie, então finge que as joias foram roubadas e as vende secretamente. Ou pode ter sido chantageada por alguém que ameaçara revelar tudo para o marido dela ou para a esposa de Sir Herman. Ou talvez já tivesse vendido as joias e Sir Herman estivesse insistindo em vê-las, então ela teve de fazer algo a respeito. Isso é bastante usado nos livros. Ou talvez tivesse mandado refazer as peças e recebera imitações. Ou... aqui está uma ótima ideia... e poucas vezes usada na literatura: finge que são roubadas, fica num estado deplorável e, para consolá-la, ele a presenteia com um conjunto totalmente novo. Então ela fica com dois conjuntos de joias em vez de um só. Tenho certeza de que esse tipo de mulher é dos mais espantosamente ardilosos.

– É muito esperta, Dolly – disse Jane, admirando-a. – Eu nunca havia pensado nisso.

– Você pode ser inteligente, mas ela não está dizendo que está certa – disse o coronel Bantry. – Estou inclinado a suspeitar do cavalheiro da cidade. Ele saberia o tipo de telegrama que iria tirar a mulher do caminho, e poderia coordenar o resto com facilidade e a ajuda de alguma amiga. Ninguém parece ter pensado em pedir um álibi a *ele*.

– O que acha, Miss Marple? – perguntou Jane, voltando-se para a velhinha sentada em silêncio, com uma expressão intrigada.

– Minha querida, realmente não sei o que dizer. Sir Henry vai rir, mas não estou lembrando de nenhum paralelo do meu vilarejo para me ajudar desta vez. Claro que várias perguntas se insinuam. Por exemplo, a questão da criadagem. Em, digamos... um *ménage* irregular como o que descreve, a criada empregada ali estaria sem dúvida ciente do estado das coisas, e uma moça de muito boa índole jamais aceitaria trabalhar num lugar assim; a mãe dela não a deixaria ir por um segundo sequer. Então eu acho que podemos supor que a criada *não era* de caráter muito confiável. Poderia estar em conchavo com os ladrões. Deixaria a porta aberta para eles e de fato iria a Londres como se estivesse certa da pretensa mensagem telefônica de forma a desviar a suspeita de si mesma. Confesso que parece a solução mais provável. Só que, no caso de ladrões comuns estarem envolvidos, a história fica muito esquisita. Parece exigir mais conhecimento do que uma criada geralmente tem.

Miss Marple fez uma pausa e prosseguiu em tom vago:

– Não posso deixar de sentir que há um... bem, algo que devo descrever como um sentimento pessoal permeando tudo. Suponhamos que alguém tivesse um rancor, por exemplo. Uma jovem atriz que ele não tivesse tratado bem. Não acham que isso explicaria melhor as coisas? Uma tentativa deliberada de criar problemas para ele. É isso que me parece. E, mesmo assim, ainda não me é inteiramente satisfatório...

– Ora, doutor, ainda não falou nada – disse Jane. – Havia me esquecido do senhor.

– Estou sempre sendo esquecido – disse o médico grisalho com ar tristonho. – Devo ter uma personalidade muito apagada.

– Ah, não! – disse Jane. – Diga-nos o que pensa.

– Estou inclinada a concordar com as soluções de todos e, ao mesmo tempo, com nenhuma. Tenho uma teoria improvável e talvez errônea de que a esposa tem algo a ver com isso. A esposa de Sir Herman, melhor dizendo. Não tenho embasamento para acreditar nessa versão, apenas sei que ficariam todos surpresos se soubessem as coisas extraordinárias, realmente *muito* extraordinárias, que uma esposa enganada pode teimar em fazer.

– Oh, dr. Lloyd! – gritou Miss Marple animada. – Muito inteligente de sua parte. Eu nunca tinha pensado na pobre sra. Pebmarsh.

Jane ficou olhando para ela.

– Sra. Pebmarsh? Quem é a sra. Pebmarsh?

– Bem – hesitou Miss Marple. – Não sei se ela de fato se enquadra. É uma lavadeira. E roubou um alfinete de opala que estava preso em uma blusa e colocou na casa de uma outra mulher.

Jane aparentava estar mais perdida do que nunca.

– E isso torna tudo perfeitamente claro para a senhora, Miss Marple? – disse Sir Henry com sua piscadinha.

Mas, para surpresa dele, Miss Marple sacudiu a cabeça.

– Não, receio que não. Confesso que também estou completamente perdida. O que percebo é que as mulheres devem se apoiar; em uma emergência, deveríamos ficar do lado do nosso próprio sexo. Acho que essa é a moral da história que a srta. Helier nos contou.

– Confesso que esse significado ético do mistério me havia escapado – disse Sir Henry com seriedade. – Talvez eu veja o significado de seu argumento de uma forma mais clara quando a srta. Helier revelar a solução.

– Como? – expressou Jane aparentando assombro.

– Quis dizer que, em linguagem infantil, nós "desistimos". A senhorita, e apenas a senhorita, srta. Helier, teve a mais alta honra de apresentar um mistério tão desconcertante que até mesmo Miss Marple teve de confessar sua derrota.

– Vocês todos desistem? – perguntou Jane.

– Sim.

Depois de um minuto de silêncio durante o qual esperou que alguém falasse, Sir Henry se constituiu porta-voz uma vez mais.

– Isso é para dizer que nós seremos louvados ou cairemos agarrados nas soluções imperfeitas que experimentalmente oferecemos. Uma de cada um dos homens, duas de Miss Marple e em torno de uma dúzia da sra. B.

– Não foi uma dúzia – disse a sra. Bantry. – Eram variações sobre um mesmo tema. E quantas vezes tenho de lhe dizer que não vou aceitar ser chamada de sra. B.?

– Então todos desistem – disse Jane, pensativa. – Isso é muito interessante.

Recostou-se na poltrona e começou a lixar as unhas de forma um tanto distraída.

– Bem – disse a sra. Bantry. – Vamos lá, Jane. Qual é a solução?

– A solução?
– Sim, o que realmente aconteceu?
Jane ficou olhando para ela.
– Não faço a mínima ideia.
– *Como*?
– Sempre me perguntei. Pensei que, todos sendo tão inteligentes, alguém saberia *me* explicar.

Todos ficaram contrariados. Tudo bem que Jane fosse tão linda, mas naquele momento todos sentiram que a burrice poderia ir longe demais. Mesmo a mais transcendente das graciosidades não poderia desculpar uma coisa dessas.

– Está dizendo que a verdade nunca foi descoberta? – perguntou Sir Henry.

– Não. Por isso, como eu disse, pensei que vocês seriam capazes de *me* dizer alguma coisa.

Jane parecia ferida. Estava claro que ela se sentia no direito de fazer uma reclamação.

– Bem... eu...eu... – tentou dizer o coronel Bantry, as palavras lhe escapando.

– Você é uma garota das mais irritantes, Jane – disse a esposa dele. – De qualquer modo, tenho e sempre terei certeza de que estava certa. Se apenas nos dissesse os nomes corretos das pessoas, eu poderia ter certeza *o suficiente*.

– Acho que não posso fazer isso – disse Jane bem devagar.

– Não, querida – disse Miss Marple. – A srta. Helier não poderia fazer isso.

– É claro que poderia – disse sra. Bantry. – Não seja tão altiva, Jane. Nós, os mais velhos, precisamos de um pouco de difamação. Ao menos nos diga quem era esse magnata da cidade.

Mas Jane balançou a cabeça, e Miss Marple, com seu jeito antiquado, continuou apoiando a garota.

– Deve ter sido uma função bem desagradável – disse.

– Não – disse Jane com sinceridade. – Acho... acho que na verdade me diverti com a história.

– Bem, talvez você tenha mesmo se divertido – disse Miss Marple. – Suponho que foi uma quebra na monotonia. Que peça que você estava representando?

– *Smith*.

– Ah, sim. É uma do sr. Somerset Maugham, não é? As peças dele são muito inteligentes, eu acho. Já vi quase todas.

– Estão renovando a montagem para fazer uma turnê no próximo outono, não estão? – perguntou a sra. Bantry.

Jane assentiu.

– Bem – disse Miss Marple levantando-se. – Está na hora de voltar para casa. Está tão tarde! Mas tivemos uma noite muito divertida. Um tanto quanto incomum. Acho que a história da srta. Helier ganha o prêmio. Não concordam?

– Sinto muito por estarem zangados comigo – disse Jane. – Por eu não saber o final, digo. Suponho que deveria ter avisado vocês antes.

O tom dela era melancólico. Dr. Lloyd, galante, tomou a atitude esperada.

– Minha cara jovem, e por que deveria? Nos deu um bom enigma para afiarmos nossas mentes. Apenas sinto muito que nenhum de nós foi capaz de resolvê-lo de forma convincente.

– Fale apenas pelo senhor – disse a sra. Bantry. – Eu resolvi *sim*. Estou convencida de que estou certa.

– Sabe que, de fato, acredito que a senhora está – disse Jane. – O que disse pareceu muito provável.

– A qual das sete soluções dela está se referindo? – perguntou Sir Henry para provocar.

Dr. Lloyd galantemente auxiliou Miss Marple a calçar as galochas. "Só para garantir", como a velhinha explicou. O médico iria acompanhá-la até sua cabana estilo medieval. Enrolada em vários xales de lã, Miss Marple mais uma vez desejou a todos uma boa noite. Chegou a Jane Helier por último e, inclinando-se para frente, murmurou algo no ouvido da atriz. Um "Oh!" de susto irrompeu dos lábios de Jane; tão alto que fez com que os outros virassem para olhar.

Sorrindo e assentindo, Miss Marple fez sua saída, e Jane Helier ficou olhando fixo para ela.

– Você não vai dormir, Jane? – perguntou a sra. Bantry. – O que há com você? Está perplexa como se tivesse visto um fantasma.

Com um suspiro profundo, Jane voltou a si, derramou um sorriso lindo e desconcertante para os dois homens e seguiu sua anfitriã escada acima. A sra. Bantry entrou no quarto com a moça.

– Seu fogo está quase apagado – disse a sra. Bantry, dando na lareira uma cutucada maldosa e nada eficaz. – Não devem ter feito o fogo direito. As criadas são tão ignorantes. Mesmo assim, suponho que ficamos até bem mais tarde hoje. Ora, já passa da uma hora!

– A senhora acha que existe muita gente como ela? – perguntou Jane Helier.

Estava sentada na lateral da cama aparentemente envolvida em pensamentos.

– Como a criada?

– Não, como aquela velhinha engraçada, qual o nome dela mesmo... Marple?

– Ah! Não sei. Suponho que seja um tipo bastante comum em vilarejos.

– Ai, ai – disse Jane. – Não sei o que fazer.

Deu um suspiro profundo.

– Qual é o problema?

– Estou preocupada.

– Com o quê?

– Dolly – Jane Helier estava admiravelmente solene. – Sabe o que aquela velhinha estranha sussurrou no meu ouvido antes de sair pela porta esta noite?

– Não. O quê?

– Ela disse: "*Eu não faria isso se fosse você, minha querida. Nunca se ponha demais nas mãos de outra mulher, mesmo que pense que é sua amiga naquele momento*". Sabe, Dolly, isso é bem verdade.

– A máxima? Sim, talvez seja. Mas não vejo ao que se aplica.

– Suponho que nunca se pode confiar em uma mulher. E eu estaria nas mãos dela. Nunca pensei nisso.

– De que mulher está falando?

– Netta Green, minha substituta.

– Mas que raios Miss Marple pode saber sobre sua substituta?

– Suponho que tenha adivinhado, mas não sei como.

– Jane, pode por gentileza me explicar de uma vez por todas do que é que está falando?

– Da história. A que contei. Dolly, aquela mulher, sabe, a que roubou o Claud de mim?

A sra. Bantry assentiu, fazendo sua mente viajar no tempo rapidamente para o primeiro dos casamentos infelizes de Jane, com Claud Averbury, o ator.

– Ela casou com ele; e eu poderia ter dito a ele como seria. Claud não sabe, mas ela continua tendo um caso com Sir Joseph Salmon; passa os fins de semana com ele no bangalô do qual falei. Eu queria expor aquela mulher; queria que todos soubessem que tipo de pessoa ela era. E a senhora vê, com o arrombamento, tudo estava fadado a se revelar.

— Jane! — assustou-se a sra. Bantry. — Foi você quem arquitetou essa história que estava nos contando?

Jane fez que sim.

— Foi por isso que escolhi *Smith*. Eu uso um uniforme de copeira no espetáculo, sabe. Então teria o kit bem à mão. E quando tivessem me mandado chamar na delegacia seria a coisa mais fácil do mundo dizer que estava ensaiando minha parte no hotel com minha substituta. Na verdade, é claro, estaríamos as duas no bangalô. Eu só tinha de abrir a porta e trazer os coquetéis, enquanto Netta se faria passar por mim. Ele nunca veria *ela* de novo, é claro, então não tinha por que temer que fosse reconhecê-la. Posso parecer bem diferente me transformando em criada e, além disso, ninguém olha para as criadas como se elas fossem gente. Planejamos arrastá-lo para a estrada depois, ensacar o porta-joias, telefonar para a polícia e voltar ao hotel. Eu não gostaria que o pobre jovem sofresse, mas Sir Henry não pareceu achar que ele fosse sofrer, pareceu? E ela estaria nos jornais e tudo — e Claud veria quem ela era de fato.

A sra. Bantry sentou-se e grunhiu.

— Ah! Pobre da minha cabeça. E por todo aquele tempo, Jane Helier, sua menina trapaceira! Nos contando aquela história do jeito que você fez!

— Eu *sou* uma boa atriz — disse Jane, complacente. — Sempre fui, não importa o que digam a meu respeito. Não me entreguei em nenhum momento, me entreguei?

— Miss Marple estava certa — murmurou a sra. Bantry. — O elemento pessoal. Jane, minha criança, você percebe que um roubo é um roubo e que pode ser mandada para a prisão?

— Bem, nenhum de vocês adivinhou — disse Jane. — Exceto Miss Marple — a expressão de preocupação retornando ao seu rosto. — Dolly, *realmente* acha que existe muita gente como ela?

— Francamente, não — disse a sra. Bantry.

Jane suspirou mais uma vez.

— Mesmo assim, melhor não arriscar. E, é claro, estaria nas mãos de Netta, isso é bem verdade. Ela pode se voltar contra mim ou me chantagear ou qualquer outra coisa. Me ajudou a planejar os detalhes e disse estar ao meu lado, mas *nunca* se sabe com mulheres. Não, acho que Miss Marple estava certa. É melhor não arriscar.

— Mas, minha querida, você já arriscou.

— Oh, não — Jane arregalou seus olhos azuis. — Não está entendendo? Nada disso aconteceu ainda! Eu estava... bem, testando primeiro com o cachorro, digamos.

— Não vou declarar que entendo seu jargão teatral — disse a sra. Bantry com dignidade. — Está dizendo que esse é um projeto futuro, não uma ação do passado?

– Planejava executá-lo no outono, em setembro. Não sei o que fazer agora.

– E Jane Marple adivinhou; na realidade, adivinhou a verdade e não nos disse nada – disse a sra. Bantry, irada.

– Acho que foi por isso que ela disse aquilo; sobre as mulheres ficando do lado umas das outras. Ela não iria me entregar frente aos homens. Foi muito gentil da parte dela. Não me importo que *você* saiba, Dolly.

– Bem, abandone essa ideia, Jane. Eu lhe imploro.

– Acho que sim – murmurou a srta. Helier. – Pode haver outras Misses Marple...

Morte por afogamento

I

Sir Henry Clithering, ex-comissário da Scotland Yard, estava hospedado na casa de amigos, os Bantry, próximo ao pequeno vilarejo de St. Mary Mead.

No sábado pela manhã, descendo para tomar o desjejum no agradável e convidativo horário das dez e quinze, quase colidiu com sua anfitriã, sra. Bantry, na entrada da sala do café. Ela estava saindo apressada da sala, num evidente estado de agitação e angústia.

O coronel Bantry estava sentado à mesa, sua face bem mais vermelha do que o habitual.

– Bom dia, Clithering – disse ele. – Faz um dia bonito. Sirva-se.

Sir Henry obedeceu. Enquanto ele foi sentando, com um prato de rins e bacon já disposto à sua frente, seu anfitrião continuou:

– Dolly está um pouco aborrecida esta manhã.

– Sim... bem... Foi o que pensei – disse Sir Henry educadamente.

Ficou um pouco curioso. A anfitriã costumava ter um temperamento sereno, sendo pouco dada a mudanças de humor ou agitação. Até onde Sir Henry sabia, só havia um assunto que evocava nela fortes convicções: jardinagem.

– Sim – disse o coronel Bantry. – Foi uma notícia que recebemos esta manhã que a deixou aborrecida. Uma garota do povoado, filha de Emmott; Emmot, que cuida do Blue Boar.

– Ah, sim, claro.

– Is-so – disse o coronel Bantry, ruminando os pensamentos. – Garota bonita. Se meteu em encrenca. A velha história de sempre. Até discuti com Dolly por causa disso. Bobagem minha. As mulheres nunca acham que faz sentido. Dolly estava toda indignada por causa da garota; sabe como são as mulheres... Os homens são uns brutos, e todo o resto etc. Mas não é tão simples assim, não hoje em dia. As meninas agora sabem o que querem. O camarada que seduz uma garota não é necessariamente um vilão. Meio a meio, quase sempre. Eu até gostava bastante do jovem Sandford. Está mais para jovem tolo do que para um Don Juan, eu diria.

– É esse Sandford o homem que deixou a moça encrencada?

– É o que parece. Claro que não sei pessoalmente de nada – disse o coronel, cauteloso. – É tudo conversa e fofoca. Sabe como é este lugar! Como eu disse, não *sei* de nada. E não sou como

Dolly, que fica tirando conclusões precipitadas, atirando acusações para todos os lados. Droga, a gente tem de ser cuidadoso com o que diz. Sabe... o inquérito e tudo mais.

– Inquérito?

O coronel Bantry fitou-o.

– Sim. Não lhe falei? A garota se afogou. Esse é o motivo de todo o frege.

– Mas isso é uma coisa horrorosa – disse Sir Henry.

– Claro que é. Não gosto nem de pensar. Pobre e linda diabinha. Todo mundo diz que o pai dela é um sujeito duro. Imagino que ela tenha achado que não ia conseguir lidar com a situação.

Ele fez uma pausa.

– É isso que deixou Dolly tão aborrecida.

– Onde foi que ela se afogou?

– No rio. Logo abaixo do moinho a correnteza é bem forte. Há um caminho e uma ponte atravessando o rio. Acham que ela se jogou dali. Bem, bem... não vale a pena ficar pensando nisso.

E, fazendo um barulho portentoso, o coronel Bantry abriu o jornal e passou a distrair sua mente das questões dolorosas, absorvendo-se nas mais recentes iniquidades do governo.

Sir Henry estava apenas moderadamente interessado na tragédia do vilarejo. Depois do café da manhã, se acomodou em uma poltrona confortável no jardim, inclinou o chapéu sobre os olhos e ficou contemplando a vida tranquilamente.

Era em torno das onze e meia quando uma copeira jeitosa atravessou o gramado.

– Por favor, senhor, Miss Marple chegou e gostaria de vê-lo.

– Miss Marple?

Sir Henry sentou-se para frente e endireitou o chapéu. A menção do nome o surpreendeu. Lembrava-se muito bem de Miss Marple; seu suave e discreto jeito de solteirona de antigamente aliado a uma assombrosa perspicácia. Lembrou-se de uma dúzia de casos não resolvidos ou hipotéticos, e em cada um deles a típica "velha solteirona do povoado" havia se alçado certeira na direção da solução correta para o mistério. Sir Henry tinha um profundo respeito por Miss Marple. Ficou tentando imaginar por que ela teria vindo procurá-lo.

Miss Marple estava na sala de estar – sentada com as costas bem eretas como sempre, uma cesta de compras de origem estrangeira em cores alegres ao lado dela. Suas bochechas estavam bem rosadas, e ela parecia afobada.

– Sir Henry, que bom. Que sorte encontrar o senhor. Fiquei sabendo por acaso que estava hospedado aqui... Espero sinceramente que me perdoe...

– É um imenso prazer – disse Sir Henry, tomando a mão dela. – Receio que a sra. Bantry não esteja.

– Sim – disse Miss Marple. – A vi falando com Footit, o açougueiro, enquanto eu passava. Henry Footit foi atropelado ontem, era o cachorro dele. Um daqueles fox terrier de pelos macios, um tanto fortes e briguentos, que os açougueiros costumam ter.

– Sim – disse Sir Henry, sendo atencioso.

– Fiquei contente de chegar aqui e ela não estar em casa – continuou Miss Marple. – Pois era o senhor quem eu desejava ver. Sobre esse acontecimento triste.

– Henry Footit? – perguntou Sir Henry, levemente confuso.

Miss Marple lhe deu um olhar reprovador.

– Não, não. Rose Emmott, é claro. Está sabendo?

Sir Henry fez que sim.

– Bantry estava me contando. Muito triste.

Ficou um pouco intrigado. Não conseguia conceber por que Miss Marple deveria querer falar com ele sobre Rose Emmott.

Miss Marple sentou-se novamente. Sir Henry também sentou. Quando a velhinha falou, seu jeito havia mudado. Era grave e carregado de certa dignidade.

– Talvez recorde, Sir Henry, que em uma ou duas ocasiões participamos do que veio a ser uma espécie de jogo muito agradável. Propúnhamos mistérios e dávamos soluções. O senhor foi muito gentil ao dizer que eu... Que eu não havia me saído muito mal.

— A senhora ganhou de nós todos — disse Sir Henry de forma carinhosa. — Demonstrou uma genialidade absoluta em chegar até a verdade. E sempre dava o exemplo, recordo, de algum paralelo do povoado que lhe fornecia a pista exata.

Sorriu enquanto falava, embora Miss Marple não sorrisse. Ela permanecia muito séria.

— O que disse me encorajou a vir até o senhor agora. Sinto que, se eu lhe disser uma coisa, ao menos o senhor não vai rir de mim.

Ele compreendeu de repente que ela falava com sinceridade absoluta.

— Certamente, não rirei — disse ele gentilmente.

— Sir Henry... essa moça... Rose Emmott. Ela não se afogou sozinha; *ela foi assassinada*... E sei quem a matou.

Sir Henry ficou calado com o mais puro espanto por uns três segundos. A voz de Miss Marple estava perfeitamente calma e não continha nenhuma excitação. Foi como se ela estivesse fazendo a declaração mais corriqueira do mundo, pela total falta de emoção que demonstrou.

— É uma afirmação muito séria para se fazer, Miss Marple — disse Sir Henry quando recuperou seu fôlego.

Ela assentiu suavemente, balançando a cabeça por repetidas vezes.

– Eu sei... Eu sei... Por isso vim recorrer ao senhor.

– Mas, minha cara senhora, não sou a pessoa a quem deve recorrer. Hoje em dia, sou meramente um indivíduo privado. Se tiver conhecimento do que afirma saber, deve ir até a polícia.

– Acho que não posso fazer isso – disse Miss Marple.

– Mas por que não?

– Porque, entenda, não tenho nenhum, nada... do que chamou de *conhecimento*.

– Está dizendo que é apenas uma conjectura da sua parte?

– Pode chamar assim, se preferir, mas não é isso também. Eu *sei*. Na minha posição, eu sei; mas se explicar minhas razões para o inspetor Drewitt... Bem, ele vai simplesmente rir de mim. E, de fato, não sei se eu o culparia por isso. Costuma ser muito difícil de entender o que se poderia chamar de conhecimento especializado.

– Como por exemplo? – sugeriu Sir Henry.

Miss Marple sorriu um pouco.

– Se eu fosse lhe dizer que sei por causa de um homem chamado Peasegood*, que entregava nabos em vez de cenouras quando passava com o carrinho vendendo vegetais para minha sobrinha vários anos atrás...

Ela fez uma pausa eloquente.

---

* O nome tem sonoridade similar a "ervilhas boas" em inglês. (N.T.)

– Um nome bastante apropriado para o tipo de negócio dele – murmurou Sir Henry. – Quer dizer que está apenas julgando a partir dos fatos de um acontecimento paralelo.

– Conheço a natureza humana – disse Miss Marple. – É impossível não conhecer a natureza humana tendo vivido em um povoado todos esses anos. A questão é: o senhor acredita em mim ou não?

Olhou para ele de modo bem direto. A intensidade do rubor havia aumentado nas bochechas dela. Seus olhos fitavam os dele firmemente, sem pestanejar.

Sir Henry era um homem com uma vasta experiência de vida. Tomava suas decisões rapidamente, sem fazer rodeios. Por mais improvável e fantástica que fosse a declaração de Miss Marple, estava instantaneamente consciente de tê-la aceito.

– Acredito *sim* na senhora, Miss Marple. Mas não entendo o que deseja que eu faça com relação à questão, ou por que veio até mim.

– Pensei muito sobre isso – disse Miss Marple. – Como eu disse, seria inútil ir até a polícia sem fatos. Não tenho nada factual. O que lhe peço é que se interesse pelo assunto; o inspetor Drewitt ficaria extremamente lisonjeado, tenho certeza. E, claro, se o assunto for adiante, o coronel Melchett, chefe de polícia, não tenho dúvidas, viraria massa de modelar nas suas mãos.

Olhou para ele suplicante.

– E que informações a senhora vai me passar para eu usar no meu trabalho?

– Pensei – disse Miss Marple – em escrever um nome, *o* nome, em um pedaço de papel e entregar ao senhor. Então, se, durante a investigação, decidir que a... a *pessoa* não está de modo algum envolvida, bem, terei de aceitar que estava completamente enganada.

Fez uma pausa e então acrescentou com um leve tremor:

– Seria tão tenebroso... tão imensamente tenebroso... se uma pessoa inocente acabasse sendo enforcada.

– Como assim? – perguntou Sir Henry, assustado.

Ela olhou para ele com uma expressão angustiada.

– Posso estar enganada; embora eu não acredite nisso. O inspetor Drewitt, entenda, é um homem de fato inteligente. Mas uma quantidade medíocre de inteligência é às vezes demasiado perigosa. A pessoa não chega a ir tão longe quanto deveria.

Sir Henry olhou para ela com curiosidade.

Um pouco desajeitada, Miss Marple abriu uma bolsinha, tirou um caderninho de notas, arrancou uma folha, cuidadosamente escreveu um nome ali e, dobrando ao meio, entregou para Sir Henry.

Ele abriu e leu o nome. Não representava nada para ele, mas suas sobrancelhas ergueram-se um pouco. Olhou para Miss Marple e enfiou o pedaço de papel no bolso.

– Bem, bem – disse. – Esta situação é um tanto extraordinária. Nunca fiz nada assim antes. Mas assim poderei confirmar minha opinião sobre a *senhora*, Miss Marple.

II

Sir Henry estava sentado em uma sala com o coronel Melchett, chefe de polícia do condado, e o inspetor Drewitt.

O chefe de polícia era um homem pequeno de conduta agressivamente militar. O inspetor era grande, largo e sensato como poucos.

– De fato sinto como se estivesse me metendo – disse Sir Henry com seu sorriso simpático. – Não posso realmente lhes dizer por que estou fazendo isso. (A mais pura verdade!)

– Meu caro companheiro, estamos encantados. É um enorme elogio.

– Honrados, Sir Henry – disse o inspetor.

O chefe de polícia estava pensando: "Morrendo de tédio, pobre camarada, na casa dos Bantry. O velho xingando o governo, e a velha balbuciando sobre bulbos".

O inspetor estava pensando: "Uma pena que não estamos lidando com um problema verdadeiramente complicado. Um dos melhores cérebros da Inglaterra, pelo que ouvi dizer. Pena que seja um caso tão tranquilo de resolver".

Em voz alta, o chefe de polícia disse:

– Receio que o caso seja muito sórdido e claro. A primeira ideia era de que a garota havia se atirado por vontade própria. Ela estava em estado interessante, o senhor entende. Não obstante, nosso médico, Haydock, é um sujeito cuidadoso. Percebeu os hematomas em cada um dos braços, na parte de cima. As marcas são anteriores à morte. Na posição onde um indivíduo poderia ter segurado a moça e a arremessado no rio.

– Isso exigiria muita força?

– Acredito que não. Não haveria resistência, a garota seria tomada de assalto. É uma ponte para pedestres feita de madeira escorregadia. Seria a coisa mais fácil do mundo atirá-la dali; não há corrimão daquele lado.

– Está confirmado que a tragédia ocorreu ali?

– Sim. Há um garoto, Jimmy Brown, de doze anos. Ele estava na floresta do outro lado. Ouviu uma espécie de grito vindo da ponte e o barulho de algo caindo na água. Foi bem na hora do entardecer, sabe, difícil ver alguma coisa. Em seguida, viu algo branco descendo o rio, flutuando na água; correu e conseguiu buscar ajuda. Retiraram a moça, mas já era tarde demais para reavivá-la.

Sir Henry assentiu com a cabeça.

– O garoto não viu ninguém na ponte?

– Não, mas como eu disse, foi no entardecer, e sempre há uma bruma naquela área. Vou perguntar se ele viu alguém logo depois ou antes da ocorrência. Entenda que ele naturalmente presumiu que a garota havia se atirado. Todos pensaram assim no início.

– Ainda assim, nós temos o bilhete – disse inspetor Drewitt. Ele voltou-se para Sir Henry. – O bilhete no bolso da garota morta, senhor. Ele foi escrito com um tipo de lápis artístico e, mesmo encharcado do jeito que estava o papel, conseguimos ler.

– E o que dizia?

– Era do jovem Sandford. "Tudo bem", assim dizia. "Encontro você na ponte às oito e meia. – R.S." Bem, e foi ali, bem perto das oito e meia, alguns minutos depois, que Jimmy Brown ouviu o grito e o estrondo na água.

– Não sei se o senhor já foi apresentado ao Sandford – continuou o coronel Melchett. – Faz mais um menos um mês que ele anda por aqui. Um desses jovens arquitetos modernos de hoje que constroem casas estranhas. Está fazendo uma casa para Allington. Só Deus sabe como vai ficar, cheia de novidades desnecessárias, garanto. Mesa de jantar de vidro e cadeiras cirúrgicas feitas de aço e trançados. Bem, isso não faz diferença alguma, mas mostra o tipo de camarada que o Sandford é. Revolucionário, sabe, sem moral.

— A sedução – disse Sir Henry com delicadeza – também é um crime há muito já estabelecido, embora não seja tão antigo, é claro, quanto o assassinato.

O coronel Melchett ficou olhando para ele.

— Sim – disse ele. – Justamente, justamente.

— Bem, Sir Henry – disse Drewitt –, aí está; um negócio feio, mas simples. Este jovem Sandford engravida a moça. E, então, só quer saber de se livrar da encrenca e voltar para Londres. Ele tem uma garota lá, uma jovem correta; está noivo e vai se casar com ela. Bem, naturalmente com este assunto aqui, se ela chega a ficar sabendo, o rapaz está frito, sem tirar nem pôr. Encontra Rose na ponte, é uma noite enevoada, ninguém por perto, a prende pelos braços e joga na água. Um jovem porco, que merece o que vai acontecer com ele. É a minha opinião.

Sir Henry ficou calado por um ou dois minutos. Percebeu um forte sentimento de preconceito local. Um arquiteto moderno não teria como se tornar popular na conservadora vila de St. Mary Mead.

— Não há dúvida, suponho, de que este homem, Sandford, era de fato o pai da criança que estava a caminho? – perguntou.

— É o pai, com certeza – disse Drewitt. – Rose Emmott confessou ao menos isso para o pai dela. Pensou que o arquiteto iria se casar com ela. Casar com ela! Logo ele!

"Ai de mim", pensou Sir Henry. "Parece que estou de volta em pleno melodrama vitoriano. A mocinha desavisada, o vilão de Londres, o pai severo, uma traição; só está faltando o pretendente fiel e apaixonado. Sim, acho que é o momento de perguntar sobre ele."

E em voz alta disse:

– E a mocinha, não tinha ela também um rapaz por aqui?

– Está se referindo a Joe Ellis? – disse o inspetor. – O bom camarada Joe. Carpintaria é o negócio dele. Ah! Se ela tivesse ficado firme com Joe...

O coronel Melchett balançou a cabeça em aprovação.

– Restrinja-se à sua própria classe – clamou ele.

– Como foi que Joe Ellis reagiu a esse romance? – perguntou Sir Henry.

– Ninguém sabe como é que ele estava lidando com isso – disse o inspetor. – É um sujeito quieto, esse Joe. Fechado. Tudo que Rose fez foi na frente dele. Ela fazia o que queria dele. Só esperava que um dia ela fosse voltar; esse era o posicionamento dele, eu acho.

– Gostaria de falar com esse rapaz – disse Sir Henry.

– Nós vamos investigá-lo – disse o coronel Melchett. – Não estamos negligenciando nenhuma linha de procedimento. Pensei em falarmos com Emmott primeiro, então Sandford, e então podemos seguir adiante e falar com Ellis. Fica bem, Clithering?

Sir Henry disse que ficaria admiravelmente bem para ele.

Encontraram Tom Emmott no Blue Boar. Era um homem grande e corpulento, de meia-idade, com olhar esquivo e mandíbula truculenta.

– Prazer em vê-los, senhores; bom dia, coronel. Entrem por aqui para termos mais privacidade. Posso oferecer alguma coisa aos senhores? Não? Como quiserem. Vieram por essa questão da pobre da minha filha. Ah! Era uma boa menina, a Rose era. Sempre uma boa menina... Até esse porco maldito, me perdoem, mas é o que ele é... Até ele aparecer. Prometeu casamento, prometeu. Mas vou botar ele na lei. Levou ela a fazer isso, levou sim. Porco assassino. Trazendo a desgraça sobre nós. Pobre da minha filhinha.

– Sua filha especificamente lhe contou que o sr. Sandford era o responsável pela condição dela? – perguntou Melchett, incisivo.

– Contou. Nesta mesma sala, ela contou.

– E o que disse a ela? – perguntou Sir Henry.

– Disse a ela? – o homem parecia momentaneamente pego de surpresa.

– Sim. Não ameaçou, por exemplo, botá-la para fora de casa?

— Estava um pouco aborrecido, o que é natural. Tenho certeza de que vão concordar que é natural. Mas, é claro, não botei ela para fora de casa. Não faria isso.

Foi tomado por uma indignação virtuosa.

— Não. Para que serve a lei, é o que digo. Para que serve a lei? Ele tinha que fazer o que é direito com ela. E se não fez, por Deus, tem que pagar.

Bateu com o punho na mesa.

— Quando foi a última vez que viu sua filha? — perguntou Melchett.

— Ontem, na hora do chá.

— Como ela estava se comportando?

— Bem, como de costume. Não percebi nada. Se eu soubesse...

— Mas não sabia — disse o inspetor de modo seco.

Eles saíram.

— Emmott mal consegue criar uma impressão favorável — disse Sir Henry, pensativo.

— Um pouco maldoso — disse Melchett. — Teria sangrado o Sandford, é certo, se tivesse tido a chance.

A próxima visita foi ao arquiteto. Rex Sandford não era nada parecido com a imagem mental que Sir Henry havia inconscientemente formado dele. Era um homem jovem e alto, muito claro e muito magro. Os olhos eram azuis e sonhadores, o cabelo desalinhado e um tanto comprido demais. Seu modo de falar era um pouco feminino demais.

O coronel Melchett apresentou a si e aos companheiros. Então, passando direto ao objetivo da visita, convidou o arquiteto para fazer uma declaração sobre seus movimentos na noite anterior.

– O senhor entende – ele disse advertindo o rapaz. – Não tenho o poder de forçá-lo a fazer uma declaração, e qualquer declaração que fizer pode ser usada como prova contra o senhor. Quero que isso fique bem claro para o senhor.

– Não... não estou entendendo – disse Sandford.

– Entende que a garota Rose Emmott foi afogada ontem à noite?

– Eu sei. Ah! É muito, muito doloroso. De fato, não pisquei o olho a noite inteira. Não consegui trabalhar em nada o dia todo. Me sinto responsável... terrivelmente responsável.

Passou as mãos pelos cabelos, deixando-os ainda mais descabelados.

– Nunca tive a intenção de causar nenhum mal – disse ele, lamentando-se. – Jamais pensei. Jamais imaginei que ela fosse interpretar daquela forma.

Sentou-se à mesa e enterrou a face nas mãos.

– Estou entendendo o que diz, sr. Sandford. O senhor se recusa a fazer uma declaração de onde esteve ontem à noite às oito e meia?

– Não, não, certamente não. Eu saí. Fui dar uma caminhada.

– Foi encontrar a srta. Emmott?

– Não, fui sozinho pela floresta. Um longo percurso.

– Então como explica este bilhete, senhor, que foi encontrado no bolso da garota morta?

E o inspetor Drewitt leu a nota em voz alta sem nenhuma emoção.

– Agora, senhor – concluiu. – O senhor nega que escreveu isso?

– Não, não. Estão certos. Escrevi, sim. Rose me pediu para encontrá-la. Insistiu. Eu não sabia o que fazer. Então escrevi o bilhete.

– Ah, assim é melhor – disse o inspetor.

– Mas não fui! – a voz de Sandford ficou aguda e agitada. – Eu não fui! Achei que seria bem melhor não ir. Estava retornando à cidade amanhã. Achei que seria melhor não... não encontrar com ela. Tinha a intenção de escrever de Londres e... e fazer... alguns arranjos.

– Está ciente, senhor, de que essa garota ia ter um filho, e que ela havia dito que o senhor era o pai?

Sandford resmungou, mas não respondeu.

– A declaração é verdadeira, senhor?

Sandford enterrou ainda mais o rosto.

– Suponho que sim – disse ele, numa voz abafada.

— Ah! O inspetor Drewitt não conseguia esconder sua satisfação. — E agora sobre essa sua "caminhada". Alguém o viu ontem à noite?

— Não sei. Acho que não. Até onde eu me lembre, não encontrei ninguém.

— É uma pena.

— O que quer dizer? — Sandford o fitava perturbado. — Que diferença faz se eu estava fazendo uma caminhada ou não? No que isso altera o fato de Rose ter se afogado no rio?

— Ah! — disse o inspetor. — O senhor vê, ela *não se afogou*. Ela foi jogada no rio deliberadamente, sr. Sandford.

— Ela foi — ele levou um minuto ou dois para absorver todo o horror do fato. — Meu Deus! Então...

Caiu sobre uma cadeira.

O coronel Melchett fez menção de se retirar.

— Compreende, Sandford — disse ele —, que não pode se ausentar desta casa de modo nenhum?

Os três homens saíram juntos. O inspetor e o chefe de polícia trocaram olhares.

— É o suficiente, eu acho, senhor — disse o inspetor.

— Sim. Consiga o mandado e mande prender.

— Desculpem-me — disse Sir Henry. — Esqueci minhas luvas.

Ele entrou de novo na casa rapidamente. Sandford estava sentado como o haviam deixado, olhando aturdido para a frente.

– Voltei – disse Sir Henry – para lhe dizer que, pessoalmente, estou ansioso para fazer tudo que puder para lhe ajudar. O motivo do meu interesse não tenho a liberdade de lhe confidenciar. Mas peço que, por favor, me conte o mais rapidamente possível exatamente o que aconteceu entre você e essa garota, Rose.

– Ela era muito bonita – disse Sandford. – Muito bonita e muito atraente. E... fez de mim um alvo. Perante Deus, juro que é verdade. Não me deixava em paz. E aqui era solitário, ninguém gostava muito de mim, e... e... Como eu disse, ela era incrivelmente bonita e parecia conhecer as coisas daqui e tudo mais – a voz dele definhou. Olhou para cima. – E então isso aconteceu. Ela queria que me casasse com ela. Não sabia o que fazer. Estou noivo de uma garota em Londres. Se algum dia ela ficar sabendo disso... e ela vai, é claro... bem, acabou tudo. Ela não vai entender. Como poderia? E eu sou um imprestável, é claro. Como disse, não sabia o que fazer. Evitei encontrar Rose novamente. Pensei que voltaria para a cidade, veria meu advogado, faria algum arranjo com relação a dinheiro para ela, enfim. Deus, como fui idiota! E está tudo tão claro... o caso contra mim. Mas eles estão enganados. Ela *tem* de ter se jogado sozinha.

– Ela alguma vez ameaçou tirar a própria vida?

Sandford balançou a cabeça.

– Nunca. Não poderia dizer que ela é do tipo.

– O que sabe sobre um homem chamado Joe Ellis?

– O camarada carpinteiro? O personagem típico de um povoado. Camarada fastidioso, mas louco pela Rose.

– Ele pode ter ficado com ciúmes? – sugeriu Sir Henry.

– Suponho que ficou um pouco; mas é do tipo bovino. Sofreria em silêncio.

– Bem – disse Sir Henry. – Preciso ir.

Juntou-se aos outros.

– Sabe, Melchett – disse –, acho que devemos dar uma olhada nesse outro sujeito, Ellis, antes de tomarmos qualquer atitude drástica. Seria uma pena efetuar uma prisão que depois se revelaria um engano. Afinal, ciúme é um bom motivo para um assassinato, e também um dos mais comuns.

– Isso é bem verdade – disse o inspetor. – Mas Joe Ellis não é desse tipo. Não machucaria uma mosca. Ora, ninguém nunca o viu perder a cabeça. Mesmo assim, concordo, melhor simplesmente perguntar onde ele estava ontem à noite. Deve estar em casa agora. Mora com a sra. Bartlett, uma alma muito decente, viúva, lava roupa para fora.

A pequena cabana para onde se dirigiram era impecavelmente limpa e arrumada. Uma mulher robusta de meia-idade abriu a porta para eles. Ela tinha um rosto simpático e olhos azuis.

– Bom dia, sra. Bartlett – disse o inspetor. – Joe Ellis está?

– Chegou não faz dez minutos – disse a sra. Bartlett. – Passem, vão entrando, por favor, senhores.

Limpando as mãos no avental, ela os levou até uma saleta na parte da frente com pássaros empalhados, cachorros de porcelana, um sofá e vários móveis inúteis.

Apressadamente, ela arranjou cadeiras para sentarem, arrastou uma estante inteira com o corpo para dar mais espaço e saiu chamando:

– Joe, tem três cavalheiros aqui querendo falar com você.

Uma voz vinda da cozinha dos fundos respondeu:

– Vou assim que tiver terminado de me limpar.

A sra. Bartlett sorriu.

– Entre, sra. Bartlett – disse o coronel Melchett. – Sente-se.

– Não, senhor, não posso nem pensar nisso.

A sra. Bartlett ficara chocada com a ideia.

– Acha Joe Ellis um bom inquilino? – perguntou Melchett num tom aparentemente desinteressado.

– Não poderia ter um melhor, senhor. Um rapaz jovem verdadeiramente firme. Jamais encosta numa gota de bebida. Se orgulha do trabalho. E sempre gentil e prestativo nas coisas da casa. Ele instalou aquelas prateleiras para mim, e consertou um armário novo na cozinha. E qualquer coisinha que precisa de uma mãozinha na casa, ora, Joe faz tranquilamente, e mal aceita agradecimentos pelo seu esforço. Ah! Não existem muitos rapazes como o Joe, senhor.

– Alguma garota vai ser muito sortuda um dia – disse Melchett de modo descuidado. – Ele era bastante interessado naquela pobre moça, Rose Emmott, não era?

A sra. Bartlett suspirou.

– Chegou a me cansar, foi sim. Ele idolatrando o chão que ela pisava e ela não dando a menor atenção para ele.

– Onde o Joe passa as noites, sra. Bartlett?

– Geralmente aqui, senhor. Faz um pouco de trabalho aqui e ali à noite algumas vezes, e está tentando aprender contabilidade por correspondência.

– Ah! É mesmo. Ele estava aqui ontem à noite?

– Sim, senhor.

– Tem certeza, sra. Bartlett? – perguntou Sir Henry, rigoroso.

Ela virou para ele.

– Bastante certeza, senhor.

– Ele não saiu, por exemplo, em algum momento entre oito e oito e meia?

– Ah, não. – A sra. Bartlett riu. – Estava consertando o armário da cozinha para mim quase a noite inteira, e eu estava ajudando.

Sir Henry olhou para o rosto sorridente e confiante dela e teve a primeira pontada de dúvida.

No momento seguinte, o próprio Ellis entrou na sala.

Era um homem jovem, alto, de ombros largos, muito bonito embora um pouco rústico. Tinha olhos tímidos e azuis e um sorriso alegre. No conjunto, um amável e jovem gigante.

Melchett deu início à conversa. A sra. Bartlett se retirou para a cozinha.

– Estamos investigando a morte de Rose Emmott. Você a conhecia, Ellis?

– Sim. – Hesitou, então balbuciou: – Esperava me casar com ela um dia. Pobre rapariga.

– Ouviu falar da condição em que se encontrava?

– Sim – uma fagulha de ira apareceu em seus olhos. – Ele desapontou ela, desapontou mesmo. Mas foi melhor. Ela não teria sido feliz casada com ele. Pensei que ela viria me procurar quando isso aconteceu. Eu teria cuidado dela.

– Apesar da...

– Não foi culpa dela. Ele desencaminhou ela com lindas promessas e tudo. Ela me contou. Ela não devia ter se afogado. Ele não valia a pena.

– Onde você estava, Ellis, na noite passada, às oito e meia?

Fora imaginação de Henry ou havia mesmo uma sombra de constrangimento na resposta já pronta, quase pronta demais?

– Estava aqui. Consertando uma estante na cozinha para a sra. B. Pergunte pra ela. Ela vai dizer.

"Ele foi rápido demais para dizer isso", pensou Sir Henry. "Ele é um homem de pensamento lento. A explicação surgiu em um momento tão oportuno que suspeito que a tenha preparado com antecedência."

Então disse a si mesmo que era apenas imaginação. Estava imaginando coisas, sim, até mesmo imaginando um brilho apreensivo naqueles olhos azuis.

Algumas perguntas e respostas mais, e eles saíram. Sir Henry inventou uma desculpa para ir até a cozinha. A sra. Bartlett estava ocupada no fogão. Olhou para cima com um sorriso simpático. Um novo aparador estava preso na parede. Não estava bem concluído. Algumas ferramentas e alguns pedaços de madeira estavam espalhados.

– É nisto que Ellis estava trabalhando ontem à noite? – perguntou Sir Henry.

– Sim, senhor, é um trabalho bem feito, não? Ele é um bom carpinteiro, Joe, é sim.

Nenhum brilho apreensivo no olhar, nenhum constrangimento,

Mas Ellis, teria ele imaginado? Não, *havia* alguma coisa ali.

"Preciso agarrá-lo", pensou Sir Henry.

Virando-se para sair da cozinha, deu um encontrão em um carrinho de bebê.

– Espero não ter acordado o bebê – disse ele.

O riso da sra. Bartlett chegou a ecoar.

– Ah, não, senhor. Não tenho filhos; uma pena mesmo. É aí que levo as roupas que são lavadas.

– Ah! Entendo...

Fez uma pausa e então falou num impulso:

– Sra. Bartlett, a senhora conhecia Rose Emmott. Diga o que de fato achava dela.

Ela o fitou com curiosidade.

– Bem, senhor, achava que ela era leviana. Mas está morta... E não gosto de falar mal dos mortos.

– Mas eu tenho um motivo... um bom motivo para perguntar.

Ele falou de modo persuasivo.

Ela pareceu considerar, estudando-o com atenção. Finalmente se decidiu.

– Ela não prestava, senhor – disse baixinho. – Não diria isso na frente de Joe. Ela enganou *ele* bem direitinho. Aquele tipo é capaz... uma pena mesmo. O senhor sabe como é, senhor.

Sim, Sir Henry sabia. Os Joe Ellis do mundo eram particularmente vulneráveis. Confiavam de olhos fechados. Mas, por esse exato motivo, o choque da descoberta poderia ser ainda maior.

Deixou a cabana desorientado e perplexo. Estava de frente a uma parede em branco, sem saída. Joe Ellis estivera trabalhando dentro de casa durante toda a noite anterior. A sra. Bartlett de fato estivera lá observando-o. Como é que alguém poderia contornar a situação? Não havia nada acusando o contrário; exceto, talvez, aquela prontidão suspeita ao responder por parte de Joe Ellis, que sugeria uma história já preparada.

– Bem – disse Melchett –, parece que a visita ajudou a deixar a questão bem clara, hein?

– Deixou sim, senhor – concordou o inspetor. – Sandford é o nosso homem. Não tem onde se sustentar. O fato é claro como o dia. Sou da opinião de que a garota e o pai estavam planejando... bem... praticamente fazer uma chantagem. Que se saiba ele não tem dinheiro; não queria que o assunto chegasse aos ouvidos da sua noivinha. Estava desesperado e agiu de acordo. O que diz, senhor? – acrescentou, dirigindo-se a Sir Henry com deferência.

– Aparentemente, é isso – admitiu Sir Henry. – Ainda assim, eu mal consigo imaginar Sandford cometendo qualquer ação violenta.

Mas tinha noção, enquanto falava, de que aquela objeção dificilmente seria válida. O mais manso dos animais, quando encurralado, era capaz de feitos inacreditáveis.

– Contudo, gostaria de falar com o menino – interrompeu. – Aquele que ouviu o grito.

Jimmy Brown demonstrou ser um garoto inteligente, um tanto pequeno para a idade, com uma expressão sagaz, bastante astuta. Estava ansioso para ser questionado e ficou um tanto desapontado quando decidiram verificar sua narrativa dramática do que ouvira na noite fatídica.

– Estava do lado de lá da ponte, assim entendo – disse Sir Henry. – Do lado oposto da vila, cruzando o rio. Viu alguém daquele lado quando estava chegando na ponte?

– Havia alguém subindo pela floresta. Sr. Sandford. Eu acho que era o cavalheiro da arquitetura que está construindo aquela casa esquisita.

Os três homens se entreolharam.

– Isso foi uns dez minutos antes, mais ou menos, de você ter escutado o grito?

O garoto assentiu.

– Viu alguém mais, do lado do rio onde fica a vila?

– Um homem estava vindo pelo caminho daquele lado. Ia devagar e assoviando, ele ia. Podia ser Joe Ellis.

– Você não teria como ver direito quem era – disse o inspetor rispidamente. – Por conta do nevoeiro e da noite caindo.

– É por conta do assovio – disse o garoto. – Joe Ellis sempre assovia a mesma música, "I wanner be happy". É a única música que ele sabe.

Falou com o mesmo desdém que o modernista demonstra por algo antiquado.

– Qualquer um pode assoviar uma música – disse Melchett. – Ele estava indo na direção da ponte?

– Não. Outro lado... para vila.

– Não acho que devemos nos preocupar com esse homem desconhecido – disse Melchett. – Você ouviu o grito e o barulho na água e alguns minutos depois viu o corpo descendo o rio e correu para buscar ajuda, voltando até a ponte, atravessando e indo direto para a vila. Não viu ninguém próximo da ponte enquanto corria para buscar ajuda?

– Acho que vi dois homens com um carrinho de mão no caminho que vai para o rio; mas estavam a uma boa distância, e eu não sei dizer se estavam indo ou vindo, e a casa do sr. Gile era a mais próxima, então corri para lá.

– Fez muito bem, meu garoto – disse Melchett. – Agiu de modo muito honroso e com presença de espírito. É escoteiro, não é?

– Sim, senhor.

– Muito bom. Muito bom mesmo.

Sir Henry estava em silêncio, pensando. Tirou a folhinha de papel do bolso, olhou, balançou a cabeça. Não parecia possível... e ainda assim...

Ele decidiu fazer uma visita a Miss Marple.

Ela o recebeu em sua encantadora, levemente abarrotada e antiquada sala de estar.

— Vim lhe informar dos meus progressos — disse Sir Henry. — Receio que do nosso ponto de vista as coisas não estão indo bem. Vão mandar prender Sandford. E devo admitir que tem fundamento.

— Não encontrou nada que... como devo dizer... que apoiasse minha teoria, então? — ela parecia perplexa, ansiosa. — Talvez eu esteja enganada, muito enganada. O senhor tem tanta experiência, certamente encontraria algo se fosse o caso.

— Em primeiro lugar — disse Sir Henry —, mal consigo acreditar na hipótese. E depois, nos deparamos com um álibi inquebrantável. Joe Ellis estava consertando as prateleiras na cozinha por toda a noite e a sra. Bartlett estava observando o trabalho dele.

Miss Marple se inclinou para frente e inspirou.

— Mas não pode ser — disse ela. — Era sexta-feira à noite.

— Sexta-feira?

— Sim, sexta à noite. Nas noites de sexta-feira a sra. Bartlett leva as roupas que lavou e faz as entregas para as pessoas.

Sir Henry encostou-se na cadeira. Lembrou da história do garoto Jimmy, sobre o homem assoviando e... sim... tudo se encaixava.

Levantou-se e tomou calorosamente a mão de Miss Marple.

— Acho que posso achar a saída – disse. – Ao menos posso tentar...

Cinco minutos depois ele estava de volta à cabana da sra. Bartlett, encarando Joe Ellis na saleta entre os cachorros de porcelana.

— Mentiu para nós, Ellis, sobre ontem à noite – falou com rispidez. – Não estava na cozinha aqui consertando o aparador entre oito e oito e meia. Foi visto caminhando ao longo do rio em direção à ponte alguns minutos antes de Rose Emmott ser assassinada.

O homem ficou sem ar.

— Ela não foi assassinada... não foi. Não tive nada a ver com isso. Ela se jogou, se jogou. Ela estava desesperada. Eu não faria mal a um fio de cabelo dela, não faria.

— Então por que mentiu sobre onde esteve? – perguntou Sir Henry, ansioso.

O homem desviou e abaixou o olhar, desconfortável.

— Tive medo. A sra. B. me viu por lá e, quando ficamos sabendo logo em seguida o que tinha acontecido, bem, ela pensou que poderia ficar ruim para mim. Inventei que iria dizer que estava trabalhando aqui, e ela concordou em me apoiar. Ela é uma pessoa rara, é sim. Sempre foi boa comigo.

Sem dizer uma palavra, Sir Henry deixou a sala e foi até a cozinha. A sra. Bartlett estava se lavando na pia.

– Sra. Bartlett – disse –, eu sei de tudo. Acho que seria melhor a senhora confessar; quer dizer, a menos que queira que Joe Ellis seja enforcado por algo que não fez... Não. Estou vendo que a senhora não deseja isso. Vou lhe dizer o que aconteceu. Havia saído para entregar as roupas. Encontrou Rose Emmott. A senhora pensava que ela havia enganado Joe e agora estava se relacionando com aquele forasteiro. Agora ela estava grávida, e Joe estava preparado para socorrê-la, casar com ela se fosse necessário e se ela quisesse. Ele morou na sua casa por quatro anos. Apaixonou-se por ele. Queria ele para si. Odiava aquela garota; não conseguia suportar a ideia de que aquela vadiazinha sem valor iria roubar o seu homem. É uma mulher forte, sra. Bartlett. Pegou a menina pelos ombros e a empurrou para a correnteza. Alguns minutos depois, encontrou Joe Ellis. O garoto Jimmy viu os dois juntos ao longe; mas, por causa da névoa e da escuridão, supôs que o carrinho de bebê fosse um carrinho de mão e que dois homens o estivessem empurrando. Persuadiu Joe de que ele poderia se tornar um suspeito e concebeu o que supostamente seria um álibi para ele, mas que em realidade era um álibi para *si mesma*. E então, estou certo, não estou?

Ele prendeu a respiração. Havia colocado tudo que tinha nesse único tiro.

Ela ficou parada em frente a ele, esfregando as mãos no avental enquanto, devagar, tomava sua decisão.

– É exatamente como diz, senhor – disse enfim, com sua voz baixa e subjugada (uma voz perigosa, Sir Henry percebeu subitamente). – Não sei o que me deu. Sem-vergonha... isso é o que ela era. Aquilo tomou conta de mim... Ela não vai conseguir tirar Joe de mim. Não tive uma vida feliz. Meu marido, ele era um pobretão... um inválido e um sujeito difícil. Cuidei e olhei por ele, é verdade. E então Joe veio morar aqui. Não sou uma mulher tão velha, senhor, apesar dos meus cabelos grisalhos. Tenho só quarenta anos, senhor. O Joe é um em mil. Teria feito qualquer coisa por ele, qualquer coisa mesmo. Ele era como uma criança pequena, senhor, tão doce e crédulo. Era meu, para cuidar e atender. E aquela... aquela... – ela engoliu em seco, controlando suas emoções. Mesmo naquele momento ela era uma mulher de muita força. Endireitou a postura e olhou para Sir Henry com curiosidade. – Estou pronta para ir, senhor. Nunca pensei que alguém fosse descobrir. Não sei como descobriu, não sei mesmo.

Sir Henry balançou a cabeça de leve.

– Não fui eu quem descobriu – disse; e pensou no pedaço de papel que ainda repousava no seu bolso com as palavras escritas em caligrafia antiga e caprichada.

"Sra. Bartlett, com quem Joe Ellis mora em Mill Cottages nº 2."
Miss Marple tinha acertado mais uma vez.

Série Agatha Christie na Coleção **L&PM** POCKET

O homem do terno marrom
O segredo de Chimneys
O mistério dos sete relógios
O misterioso sr. Quin
O mistério Sittaford
O cão da morte
Por que não pediram a Evans?
O detetive Parker Pyne
É fácil matar
Hora Zero
E no final a morte
Um brinde de cianureto
Testemunha de acusação e outras histórias
A Casa Torta
Aventura em Bagdá
Um destino ignorado
A teia da aranha (com Charles Osborne)
Punição para a inocência
O Cavalo Amarelo
Noite sem fim
Passageiro para Frankfurt
A mina de ouro e outras histórias

MISTÉRIOS DE HERCULE POIROT

Os Quatro Grandes
O mistério do Trem Azul
A Casa do Penhasco
Treze à mesa
Assassinato no Expresso Oriente
Tragédia em três atos
Morte nas nuvens
Os crimes ABC
Morte na Mesopotâmia
Cartas na mesa
Assassinato no beco
Poirot perde uma cliente
Morte no Nilo
Encontro com a morte
O Natal de Poirot
Cipreste triste
Uma dose mortal
Morte na praia
A Mansão Hollow
Os trabalhos de Hércules
Seguindo a correnteza
A morte da sra. McGinty
Depois do funeral

Morte na rua Hickory
A extravagância do morto
Um gato entre os pombos
A aventura do pudim de Natal
A terceira moça
A noite das bruxas
Os elefantes não esquecem
Os primeiros casos de Poirot
Cai o pano: o último caso de Poirot
Poirot e o mistério da arca espanhola e outras histórias
Poirot sempre espera e outras histórias

MISTÉRIOS DE MISS MARPLE

Assassinato na casa do pastor
Os treze problemas
Um corpo na biblioteca
A mão misteriosa
Convite para um homicídio
Um passe de mágica
Um punhado de centeio
Testemunha ocular do crime
A maldição do espelho
Mistério no Caribe
O caso do Hotel Bertram
Nêmesis
Um crime adormecido
Os últimos casos de Miss Marple

MISTÉRIOS DE TOMMY & TUPPENCE

Sócios no crime
M ou N?
Um pressentimento funesto
Portal do destino

ROMANCES DE MARY WESTMACOTT

Entre dois amores
Retrato inacabado
Ausência na primavera
O conflito
Filha é filha
O fardo

TEATRO

Akhenaton
Testemunha da acusação e outras peças
E não sobrou nenhum e outras peças

IMPRESSÃO:

Pallotti
GRÁFICA EDITORA
IMAGEM DE QUALIDADE

Santa Maria - RS - Fone/Fax: (55) 3220.4500
www.pallotti.com.br